문명과역사

문명과역사

CIVILIZATION AND HISTORY

대한아시아지역학연구회 지음

CIVILIZATION AND HISTORY

Publication of Korean in 2023

文明與歷史

2023年韓文出版

배우고 때로 익히면 또한 기쁘지 아니한가

- 공자 -

서문

역사를 통해 문명과 문화를 조망한다

인류의 4대 문명은 '황허, 이집트, 메소포타미아, 인더스'이다. 이 문명 중에서 현재까지 직접적으로 단일 문화권으로 유지하는 것은 중국이 유일하며 문자로 살펴봐도 황허 문명이 만든 한자가 유일하게 사용되고 있다. 이러한 황허 문명의 영향력과 발전상은 흥미롭고 깊게 탐구할 가치가 있다.

특히, 중국의 화교는 동남아시아와 미국, 유럽, 환태평양에까지 진출하여 자생적인 하나의 문화권을 이루고 있다. 그들은 각국의 정치 세력과 관계를 맺어나가고, 정쟁의 틈바구니에서 살아남아 번영을 구가하는 등 문화적 영향력을 널리 뻗치고 있다.

우리는 이러한 중국의 문명과 역사에 주목하였다. 이는 중국이 4대 문명으로 불리던 과거 시대부터 현재까지 유구한 역사적 배경과 발전상을 가지고 있으며 그러한 저력이 다른 문명권에도 강하게 미치고 있기 때문이다.

과거 아시아는 그 특유의 가치와 학문을 얻고자 경영학자들을 중심으로 하여 '아시아지역학'을 발전하여 융성시켰다. 그렇기에 중국의 문명은 중국의 전유물이 아니므로 협소하게 중국만의 틀이 아니라 보편적인 틀로 바라보면서 그 독특함을 끌어내야 하는 것이다.

그러므로 우리는 중국 문명의 태동을 살펴보고 현재의 중국의 틀이 형성된 역사를 살펴보고 이러한 배경 속에서 여러 키워드로 중국 문화와 융성과 다양한 문명과의 교류로 완성된 창조성 그리고 실크로드를 통한 동서 문명의 상호 교류까지 살펴보고자 한다.

본 저서를 통해 독자들이 중국의 문명과 역사를 살펴보면서 문명의 변화 양상을 이해하고 문명사에 끼친 중국의 영향력을 이해하면서 다양한 문명을 바라볼 수 있는 다극적 관점과 관용 정신을 배양하는 데 도움이 될 것이다.

더불어 문명 간의 유사점과 차이점을 이해하여 공동체 일원으로서 사회에 관심을 두게 하고 사회적 책임 의식을 성장시키는 것에도 도움이 될 것이다.

아울러 저서의 기획에 도움을 주신 분들에게도 이 지면을 빌려서 감사의 말씀을 전해드린다.

목 차

[제5장] 한반도의 철학과 역사 / 117

제 1 장

서방 중심적 문명관에서 탈피하라

문명을 바라보는 다른 시선

우주가 탄생하고 지구가 생긴 이래 진화를 통해 영장류가 등장하고, 그들 중 하나가 인류의 조상이 되어 현생 인류가 번성하게 되었다. 우리는 모두 하나의 종이지만, 여러 동물 중에서 가장 극단적으로 구분 짓는 존재이다.

이러한 우리의 조상은 상호 간의 뜻이 맞는 세력이 뭉쳐서 하나의 문명을 이룩하였고, 이러한 문명 속에서 현재의 발전과 영광을 누리고 있다.

현재의 한국도 지난날의 역경을 딛고 일어서서

세계 10위의 선진국으로 도약하였다. 비록 완벽하다고 할 수는 없지만, 다른 국가들에 비해 상당히 우수한 부분이 많은 국가이다.

그러나 한국 사람들의 사고 속에서 서방의 영향력은 지대하다. 그로 인해 비서방 국가들과 문명에 대해서 일부 곡해하거나 오해하는 경향이 있다.

이러한 경향은 한국과 비서방 국가가 소통하고 교류하는 데 있어 결코 긍정적인 영향력을 줄 수 없으며, 우리에게도 직접 및 간접적으로 피해를 줄 수 있다.

이러한 경향을 극복하기 위해서는 서방 중심적 문명관에서 벗어나 다극적인 문명관을 가져야 한다. 다극적인 문명관은 모든 문명을 동등하게 바라보고 이해하려는 태도이다. 이러한 태도는 한국과 비서방 국가가 서로를 이해하고 소통하는 데 있어서 필수적이다.

특히 한국 사회가 다문화로 접어드는 와중에 다

원적 사고를 갖추게 된다면, 우리가 진정으로 잠재된 힘을 끌어내어 우리가 모두 한 단계 성장하는 강한 힘이 될 수 있다고 확신한다.

중국을 바라보는 다른 시선

현재 한국에서 싫어하는 국가 중 하나로 중국이 꼽힌다. 특히 청년 세대의 반중 정서는 기성 세대가 보기에는 상상 이상이다.

그렇기에 중국에 대한 우리의 이해는 상당히 왜곡된 면이 있으며 여러 문명 집단 중 가장 부정적으로 보는 경향이 크다.

하지만 중국과 한국의 관계와 상호 영향력은 몹시 깊으며 우리는 중국과의 관계를 단절할 수 없기에 그들을 이해하고 우리에게 긍정적인 방향으로 상호 교류해야 할 필요가 있다.

과거 역사를 살펴보면 조선 왕조가 설립된 이래 한국은 중국과 전통적인 조공 책봉 관계를 형성했다. 이는 다소나마 민족적 자존심에 손상을 입기는 했다.

하지만 냉혹한 국제 질서를 보면 그 시대의 전통적 동아시아 세계에서 안정적으로 국가를 운영하는 데 있어 도움이 되었다고 할 수 있다.

하지만 개항 이후 조선과 중국 모두 서방 열강의 침략에 효율적으로 대처하지 못하고 근대화도 늦어짐으로써 주권이 침탈당하고 국익이 모두 열강에 의해 침탈당하는 비극적인 제국주의 시기를 거쳤다.

이러한 과정에서 중국은 국공내전을 통해 1949년 중화인민공화국이 수립되면서 완전히 공산화되었다. 한국은 일제의 식민지를 거쳐 해방 이후 남북이 분단되면서 6.25 전쟁이라는 동족상잔의 비극을 겪었다.

한편 중국은 북한을 지원해 주었고, 우리가 살고 있는 한국은 미국의 영향과 지원으로 자유주의 세계 국가가 되었다.

그러므로 전통적인 중국과의 관계는 사실상 단절되었고, 자유중국이라 불리던 대만을 통해 소통을 이어갔지만, 그마저도 미약하여 현재의 기성세대는 중국과의 문화적 교류가 거의 없는 세대가 되었다.

그러므로 중국에 대한 이해가 떨어지고 내재적 접근이 이루어지지 않는 상황에서 오로지 서방의 관점으로 중국을 바라보니 오해가 쌓이게 되었다.

이는 양국 간의 소통과 교류에도 심각한 지장을 줄 뿐만 아니라 장기적인 관계에서도 심각한 문제를 일으킬 화근이 된다.

이러한 점에서 서방의 관점이 아닌 중국의 관점

에서 중국을 바라보면서 우리가 가진 오해를 완화하고 진정한 소통을 이끌어야 할 필요성이 대두된다.

인간의 탄생

우리는 모두 각자 다른 사상, 생김새, 배경을 가졌다. 그러나 우리가 모두 어떠한 예외 없이 동일한 것은 모두 '호모 사피엔스 사피엔스(Homo sapiens sapiens)'라는 것이다. 이는 줄여서 인간이라고도 부른다.

우리는 동물 중에서 유일하게 문명을 이루고 산다. 다른 동물이 자연의 일부가 되어 살아갈 때 우리는 자연을 변형하고 각자의 편익에 따라서 행한다. 그리고 만물의 영장이라는 말처럼 온갖 동물을 거느린다.

하지만 우리 인간은 맹수처럼 날카로운 이빨이나

발톱도 없고 힘도 떨어진다. 그렇지만 위에서 말한 것처럼 문명도 이루고 인간 이외의 타자를 정복하여 살아가는 것은 인간이 다른 모든 동물보다 지능에 온 힘을 다한 존재이기 때문이다.

지능은 기존에 없던 새로운 것을 만들 수 있는 창조적 활동의 힘이 된다. 그렇다면 인간이 다른 동물과 달리 지능을 얻게 된 것에는 분명히 그 이유가 있을 것이다. 그것을 알기 위해서는 인간의 탄생 과정을 살펴봐야 한다.

인간이 최초로 출몰한 지역은 요즘 중국과의 일대일로로 시끄러운 아프리카이다. 대개 과학자들은 기원전 200만 년쯤부터 현재의 인간과 유사한 원시인이 등장했다고 본다. 그 존재를 우리는 오스트랄로피테쿠스라고 칭한다.

그들은 직립보행을 하고 두 손을 자유롭게 사용했다. 사실상 인간이 이동에 사용하는 발이 아닌 독립적인 손을 가지게 된 것이다.

자유로운 두 손을 가진 인간은 이제 거리낌 없이 발전을 이뤄나갔다. 작은 도구를 만들고 불을 발견하여 활용하는 등 인간은 동물과의 투쟁에서 영구적이고 위대한 승리를 거두고 이제 그 집단 내부에서 스스로 투쟁하게 된다. 아마 동물이 인간을 보면 우리가 신이라는 존재를 떠올릴 때의 느낌과 비슷할 것이다.

특히 불의 발견은 인간에게 시간이 만든 어둠의 장벽을 부수고 빛이 지배하는 시간을 늘린 혁명에 가까운 일이다. 현대 사회에서 살아가는 우리는 불이 없는 칠흑의 어둠은 쉬이 상상하기 어렵다.

인간이 탄생하고 모든 동물과 식물로부터 우위에 섰지만, 아프리카는 증가하는 인구에 비해서 자원이 부족했다. 이제 인간은 아프리카를 떠나 아시아를 비롯한 지구 각지로 퍼져나가게 되었다.

지구 각지로 널리 퍼져나간 인간은 번성하였다. 각자는 서로 협동하면서 큰 무리를 이뤘고 그 무리는 부족에서 국가로 커졌다. 이것이 오늘날의 문명과 국가의 시초가 된 셈이다.

철의 발견

인간이 손을 자유롭게 쓰면서 최초로 사용한 재료는 흔히 주위에서 볼 수 있는 돌이다. 중국 남부 산시성 란텐지역에서 석기 108개가 발굴되는 등 근래에 발굴된 고대 유물 중 대다수가 돌로 만들어져 있다. 이는 쉽게 구할 수 있고 쉽게 다듬을 수 있다는 장점이 있었기 때문이다.

하지만 돌은 강도가 약하기에 쉽게 깨지고 뭉툭해진다. 이는 특히 무기에서 약점을 강하게 드러내므로 다른 재료를 발견해야 하는 필요성이 대두하였다.

석기 다음으로 인간이 사용한 것은 청동이다. 우리가 흔히 청동기시대 할 때의 그 청동이다. 청동은 구리와 주석을 섞은 합금으로 석기보다 몹시 높은 강도를 가진다.

다만 청동기의 원재료가 되는 구리와 주석은 몹시 귀하고 그 제련 기술이 상당한 숙련도를 요구하므로 무기나 상류층의 장신구 이외의 일상용품은 계속 석기를 사용할 수밖에 없었다.

동아시아에서는 현재의 중국 북쪽 내몽골 지역과 양쯔강 이남 지역에서 주석 광산이 발달해 있어 고대 동아시아 국가들이 이곳에서 주석을 수입한 것으로 추정된다.

한편 유럽과 지중해 지역을 살펴보면 지금의 그리스부터 이집트, 메소포타미아 지방까지 문명을 꽃피우며 청동기 교역망을 가지고 있었다.

그런데 기원전 11세기경 바다 민족이라고 불리는 집단에 의해 문명이 완전히 파괴되어 문자까지 끊어지는 암흑시대를 겪었다고 한다.

현재의 역사가들은 이들을 멸망시킨 바다 민족이 사용하는 무기가 철기로 추정되고 있다. 이는 청동기보다 강력한 철기의 위엄을 보여주는 것이며 인간이 현재까지도 철기를 주된 재료로 사용하는 시대에 진입하는 것을 보여주는 사건 중 하나이다.

초창기에는 제련 기술이 낮아서 철기를 만들기 어려웠지만, 제련 기술이 발전하자 청동기보다 훨씬 흔한 철기는 일상의 모든 영역으로 퍼져 나갔다.

이는 현재까지도 철기가 미치는 영향력을 알 수 있으며 특히 중국이 세계 1위의 선철 매장량을 가지고 있음에도 타국의 철광산 개발에 뛰어드는 것을 보면 철의 중요성은 현시점에도 유효하다는 것을 증명할 수 있는 셈이다.

자유민과 제국의 투쟁

바다 민족에 의해 지중해 문명이 소멸하고 오랜 암흑기가 지나고 나서 그리스에는 여러 도시국가가 탄생했다.

그 도시국가는 초창기에는 여러 개였으나 시간이 흐르면서 아테나와 스파르타를 각각 따르는 국가들로 정리되었다.

아테네는 현재의 민주주의 근간이 된 국가로 시민이 중심이 되며 민회가 열리고 비록 성인 남성인 자유민에 한정되지만 나름 평등한 국가였다.

한편 스파르타는 현재의 그 명성과 영화 300에서 보여주었던 모습처럼 철인에 의해 다스려지며 남성 시민은 어린 나이에 전사로 양성되어 강한 사람만 살아남았다.

이들은 서로 대립했지만, 그리스의 자유라는 목표 하에 제국인 페르시아와 맞서 싸웠다. 이러한 투쟁은 그리스 역사가 헤로도토스의 '역사'라는 저서에서 잘 나타난다.

페르시아는 기병과 궁수를 중심으로 한 정예병이라면 아테나와 스파르타를 중심으로 한 그리스는 창과 칼로 무장한 민병대 성격의 시민군이었다.

그리스 시민군은 자유를 사랑하기에 페르시아에 굴복하지 않고 끝까지 싸웠고 비록 패배했지만, 그들의 투쟁 정신은 지금도 자유를 향한 갈망으로 유효하다.

이러한 자유로운 도시국가와 폭압적인 제국의 투쟁은 이후 중국이 국공합작을 할 당시 일본제국과 싸우는 투쟁 정신에도 영향을 주었으며 마치 성경에 나오는 다윗과 골리앗의 싸움을 연상하는 만큼 자유를 향한 위대한 투쟁이기에 이는 인류 역사상 중요한 사건이라고 평가된다.

제 2 장

중화 문명과 유럽

진나라의 천하통일

인류 역사상 최대 규모의 제국 중 하나이자 고대에 가장 큰 제국이면서 현재까지도 영향을 단일 역사로 영향을 주는 문명권은 중국이다.

이러한 중국의 고대 역사를 살펴보면 하나라에서 시작된 중국의 역사가 주나라에 이르자 그 부패와 타락은 도를 넘었다. 우리가 흔히 아는 주지육림(酒池肉林)이라는 말이 주나라에도 쓰일 정도였다.

주지육림은 술로 연못을 만들고 고기를 매달아 숲을 이룬다는 뜻으로 하나라 말기 걸왕 그리고 상나라

말기 주왕이 만든 연회장을 의미한다. 이곳에서 남녀가 술에 취해 즉흥적으로 난교가 벌어지는 등 그 타락상은 이루 말할 수 없는 지경이다.

이러한 중국의 현실 속에서 지방의 호족들은 들고 일어나고 농민 봉기도 일어나면서 완전히 나라가 분열되고 온갖 세력과 사상 그리고 종교가 난립하는 혼란기가 춘추전국 시대이다.

해당 시대에 우리가 잘 아는 공자가 활동하고 유교가 탄생하였다는 것은 역설적으로 그 시기의 혼란상을 증명하는 것이다.

당시 중국 북서부에 있던 진나라는 강력한 군사력과 엄정한 규율을 가지고 중국을 통일하였으며 왕이었던 영정은 중국 최초의 황제라는 뜻으로 진시황이라고 불렸다.

그는 통일 이후 강력한 중앙집권국가를 세웠다.

이는 현재의 중화인민공화국과 진 이후 중국의 여러 왕조 국가가 추구했던 강력한 중앙집중적 국가 전통을 세운 것이다.

또한, 귀족들의 권력 기반을 파괴하기 위해 그들을 멀리 떨어진 곳으로 이동했는데 이는 한국과 일본에도 유사한 제도가 생기는 것에 좋은 선례가 되었다.

그리고 통일된 문화를 창조하고 수로와 운하를 건설하며 언어와 도량형을 통일했다. 그리고 현재도 중국의 유명한 유적인 만리장성을 이민족의 침입을 막기 위해 처음 건설에 착수했다.

하지만 과도한 통일성에 집착한 나머지 법가를 제외한 다른 사상을 모두 이단시하여 분서갱유(焚書坑儒)라고 불리는 과도한 사상 및 학문 탄압을 하였고 고된 노역에 백성을 희생시키어 그 불만이 커지도록 하는 화근을 만들었다.

진시황은 영생을 꿈꾸며 불로초를 찾고 수은으로 이루어진 강이 흐른다는 구전이 있는 진시황릉을 지어 그의 권력을 대내외에 과시했다. 이것은 비슷한 시기의 로마제국의 황제들이 행한 권력 과시 이상이며 이집트의 피라미드 건설에 필적하거나 그 이상이라도 평가될 정도이다.

비록 진시황 사후 허무하게 진은 무너졌지만, 중앙집중화된 중국의 첫 기틀을 세웠다는 점에서 진나라의 의미는 작지 않다.

한나라와 한족의 탄생

중국의 주류 민족이자 일반적으로 중국 민족이라고 하면 주로 한족(漢族)이 연상된다. 이 한족에서 '한'이라는 글자는 한나라에서 따온 것이다.

한나라는 중국 역사상 최초의 국가도 아니고 최초로 통일한 국가도 아니며 무수히 많은 국가 중 하나였던 한나라가 중국 민족을 대표하는 명칭이 된 것은 몹시 깊은 사연이 존재한다.

진시황이 죽고 흔히 호해라고 불리는 이세황제가 그 뒤를 이어받자 진나라의 혼란은 극에 달했다. 폭정과 사치 그리고 주색에 빠진 왕은 민생은 아랑곳하지 않고 자신의 곳간을 채우는 것에 집착했다. 끝이 없는 반란과 봉기는 더는 진나라의 미래가 없음을 의미했다.

우리가 흔히 초한전이라고 불리는 시기가 진나라 말기이자 한나라 초기인 '초한쟁패기'이다. 진나라는 사실상 소멸했고 초나라를 주창하는 항우와 한나라를 주창한 유방이 대결하였다. 그리고 그 결과는 유방이 승리하고 한나라가 다시 중국을 재통일했다.

한국사에서도 신라가 최초로 삼국통일을 하지만 백제와 고구려의 후신을 주장하는 세력의 봉기에 휩싸이고 심지어 고구려의 후신을 주장하는 발해가 건국되면서 사실상 얼마 되지 않아 분열된 역사가 있다.

그리고 그 이후 발해·후삼국시대를 지나서 왕건이 고려를 건국하고 삼국을 재통일하며 발해의 유민을 받아들여 한민족의 사실상의 정신적 통합을 이룩한 것을 살펴보면 한나라도 진나라의 통일 실패와 분열상을 반복하지 않기 위해서는 무언가 다른 접근이 필요했다.

한나라의 초대 황제가 된 유방은 법가 대신 현재의 유교가 되는 유가 사상을 채택하면서 덕에 의한 통치를 하였다.

인간적인 얼굴을 한 황제는 백성의 어려움을 살피고 정치에서 민생을 최우선적으로 하였다. 특히 농민에게 많은 덕을 베풀어 지지를 얻었다.

이는 그가 농민 반란의 지도자로 출발했기에 농민의 마음을 잘 알고 있다는 후대 역사가들의 긍정적 평가도 있다.

이외에도 현대에도 널리 쓰이는 종이를 발명하는 등 과학 발전도 증가하면서 문명적으로도 인류에게 많이 이바지한 국가이다.

아무튼 한나라는 진나라의 문제점을 극복하고 폭

압이 아닌 인에 의한 인간적 통치를 이어왔기에 현재의 중국도 한나라를 가장 유서 깊고 멋진 나라로 여기며 스스로 한족이라고 부르는 것이다.

한나라와 로마

고대의 주요 제국은 한나라와 로마이다. 그들은 실크로드 무역로를 만들어서 교역하고 로마는 중국제 비단을 수집하고 한나라는 산호와 유리를 수입했다.

유라시아 대륙 양 끝에 있는 두 제국인 로마와 한나라는 비슷한 점이 많았다. 그들은 광대한 영토를 정복하고 개편했으며 오랑캐의 공격에 맞섰다.

그리고 당시 각자 소재한 지역의 문화적 및 정치적 중심지였으며 정신 문화적 부문을 살펴봐도 로마의 신화 중 '황금의 시대'와 중국의 신화 중 '요순시대'의

내용이 비슷한 부분이 존재하는 등 상호 간의 깊은 문화적 교류가 있었음을 알 수 있다.

하지만 현재의 로마는 이탈리아를 비롯하여 여러 나라로 분열되었고 동로마 제국의 수도였던 콘스탄티노플은 완전히 성향이 다른 이슬람 국가에 손에 넘어가서 현재도 터키의 이스탄불로 명맥을 잇고 있다.

그러나 로마의 붕괴와 그 내부에서 다양성을 증진하는 행위는 역설적으로 시민이라는 개념이 탄생하고 성장하며 현재까지 영향을 주는 계기가 되었지만, 중국은 통일된 채로 현재까지 오면서 로마와 다른 형태의 시민을 만들고 발전시키는 다른 면도 있다.

근래에 유럽이 성장하고 제국주의 시대를 거치면서 서방의 역사가들에 의해 한나라가 폄하되고 로마의 위상을 높이지만 당시 한나라는 로마도 두려워하는 지구상 초강대국이었으며 로마에 미친 경제적, 사상적 영향력은 무시할 수 없었다.

즉 로마는 한나라를 많은 부문에서 벤치마킹한 사례가 있으며 중국이 고대 유럽에 영향을 미쳤다는 것을 로마와 한나라의 기록과 유적을 통해 다시금 잊힌 과거의 역사를 알 수 있는 셈이다.

통일 이후 중국과 유럽

민족은 개인에게는 정치적 우산이며 종족보다 더 넓은 보호를 끌어내는 우산이다. 국제적 관점에서 민족은 가족과 유사하다. 가족 간 대립이 심해지면 종족의 불안이 커지는 것처럼 말이다.

하지만 이러한 민족이 형성되고 분열되지 않기 위해서는 가만히 있어서는 안 된다. 민족 그 자체는 우리에게 너무나 자연스럽지만 실제로는 자연스럽게 형성되는 것이 아니기 때문이다. 특히 거대한 제국은 초신성과 같기에 그러한 제국의 민족은 더욱더 강하게 결속하지 않으면 스스로 무너진다.

특히 시대와 장소를 불문하고 권력이 무너지면 내부적으로 진공상태가 되고 민족이라는 개념은 휴지 조각이 되므로 더욱 이를 평시 상태에 유지하고 발전시켜야 할 필요성이 제기되는 것이다.

권력에서 가장 큰 힘은 '합리적 설득'이 가지고 있는 것처럼 민족을 만들고 분열시키지 않으려면 통일된 이데올로기를 제시할 필요가 있다.

이 점에서 진나라와 한나라는 중국 대륙을 통일한 이후 법가나 유가와 같은 통일적 통치 이데올로기를 제시했지만, 로마는 지중해를 장악하고도 황제 숭배와 같은 초보적 수준의 이데올로기를 제시하다가 이후 기독교를 공인해 보았지만, 오히려 기독교에 정신적으로 잡아먹히는 역설적 상황이 생겼다.

결국 중국은 현재까지 살아남았고 로마는 멸망했다. 이는 중국은 구심력이 강했지만, 로마는 몹시 약했다는 것이다. 특히 훈족의 침공 이후 교회 권력이 정치 권력보다 강해지고 신권이 황제권이 위에 서는 상황이 발생한 것을 보면서 중국은 한 번도 종교가 정치권력 위에 선 적이 없음을 보면 그러하다.

또한 중세에 종교가 모든 것을 좌지우지하는 암흑기까지 추가로 본다면 고대나 중세 중국을 미개하다고 말할 수 없을 만큼 로마보다 중국이 월등히 우월하다는 것을 알 수 있다.

한편 로마는 통일된 이데올로기를 제시하지 못해서 권력이 약해지자, 무역이 파괴되고 도시는 몰락하고 자유민은 농노화가 되었다. 공통의 언어였던 라틴어는 상실되고 지금은 완전히 사어가 되었다.

하지만 중국은 그렇지 않았으며 오히려 공통된 언어를 지켜냈고 지금까지 이어왔다. 그리고 로마 말기의 현상은 거의 중국에는 나타난 적이 없다. 그렇기에 우리는 공통된 이데올로기를 제시했던 중국과 그렇지 않았던 로마를 다시 한번 살펴볼 필요가 있는 것이다.

문명의 충돌에 대처하는 중국과 유럽

중국 고비사막 북부지역에 사는 한 마을 사람들의 혈통을 조사하니 고대 로마 군단의 후예로 밝혀졌다. 이들은 로마 멸망 이후 이주하여 현재 중국에 정착한 것이다. 이처럼 중국과 로마는 고대부터 밀접한 교류가 있었고 서로가 비슷한 국가이면서 깊은 영향을 주었기에 비교할 가치가 있는 것이다.

고대사를 다시 살펴보면 당시의 로마 제국이 성장하고 기독교가 공인되면서 그들은 더 이상 팽창하지 않고 현 상태를 유지하고자 하였다. 하지만 더는 노예가 들어오지 않으니 '고대 노예제 사회'의 경제 구조가 유지되기란 어려운 점이었다.

더군다나 로마 황제들은 대중추수주의에 빠져서 대규모 토목공사나 콜로세움의 검투사 경기를 통해 대중의 환심 사기에만 급급했다.

이렇게 로마가 안으로 곪아가면서 동로마와 서로마가 분리되고 서로마는 게르만 이민족에 의해 멸망하고 비잔티움 제국으로 바뀐 동로마는 이슬람 세력에 의해 멸망했다.

이후 유럽은 중세에 들어가면서 종교가 모든 것을 지배하는 '중세 농노 사회'가 되었고 십자군 전쟁을 통해 이슬람 세력과 여러 번 충돌하면서 문명의 충돌에 몹시 취약한 모습을 보였다.

한편 중국은 여러 이민족 왕조가 있었고 몽골 제국의 침공과 원나라 수립 그리고 중국 역사상 마지막 왕조도 만주족의 청나라지만 특유의 중화사상과 이민족

포용 정책으로 문명의 충돌에서 비록 힘으로는 일시적으로 밀려도 결국 궁극적으로는 승리하는 모습을 보였다.

이러한 점에서 현재 서방과 비서방의 대리전으로 불리는 러시아와 우크라이나의 전쟁 양상의 편향성과 한반도 내부의 서방 편향적 관점의 우려성도 이러한 역사를 통해 볼 수 있는 것이다.

그리고 현대의 문명 간 충돌이라고 할 수 있는 베트남 전쟁에서 미국이 패배한 것도 무력 우선주의에 입각한 것이라고 보는 정치학자들의 관점도 있다.

그러므로 현대 사회의 서방 영향력과 배울 점은 상당하고 우리도 열심히 배워야 하는 것은 자명하지만 문명의 충돌에서 오로지 힘으로만 대항한 유럽과 현재의 미국을 비롯한 서방이 행한 모습보다 중국이 문명의 충돌에서 보인 모습이 좀 더 수준 높고 우리에게 여러 참고할 점을 시사한다고 할 수 있다.

그렇기에 서방의 관점을 무비판적으로 받아들이고 맹종하는 것의 문제와 위험성도 우리가 역사를 통해서 다시 반성적으로 살펴볼 수 있는 것도 첨언할 수 있다.

동방에서 온 흑사병

근래에 인간은 코로나19 팬데믹을 겪으며 다시 한번 전염병이 만든 위험을 실감했다. 만물의 영장이라는 인간이 여전히 싸워서 우위를 점하지 못하는 것은 바로 세균과 바이러스다. 이러한 세균과 만드는 전염병은 인간 역사상 무수히 많은 사건을 빚어냈다.

1200년경 몽골은 세계를 정복하면서 그 세력이 상당했다. 칭기즈칸의 동맹과 그 세력의 확산은 대단했지만 반대로 흑사병을 함께 세계에 퍼트렸다. 한편 이러한 흑사병의 확산에 몽골이 투석기를 통해 감염자를 성안으로 던지는 생화학전을 한 것이 더욱 빠른 흑사병의 세계적 확산에 영향을 주기도 했다.

유럽 전역과 아시아에서 흑사병이 퍼지자, 문명은 그 기능을 정지했고 사람들은 미신에 휩싸여서 비굴해졌다. 각종 기행이 일어나고 반지성주의에 입각한 행동은 오히려 흑사병을 더욱 퍼트리는 악순환이 이루어지게 되었다.

흑사병은 대륙에서 대륙으로 퍼졌다. 사상이 이 대륙에서 저 대륙으로 퍼지면서 전염병도 함께한 것이다. 이 당시에 인간은 오만하게도 세상 모든 것을 지배한다고 생각했지만 몽골 기병에 무임 승차한 흑사병이 퍼져나가면서 그러한 생각은 뿌리째 흔들렸다.

묵시록적 재앙이자 공포의 학살자로 불리던 흑사병은 시간이 지나자 사라졌다. 하지만 뒤이은 전염병의 습격은 인류가 그 시기의 공포로부터 배운 것들에 의해서 조금은 흑사병보다 이성적인 대처를 했다는 점에서 이 시기의 흑사병과 그 무질서한 대처 그리고 사람들의 공포심은 동방에서 온 어둠의 공포라고 불릴 만했다.

제 3 장

공동부유로
나아가는 인류

근대의 시작

중세를 거치면서 인류의 세계적 교류는 크게 확대되었다. 문명은 더욱 정교해지고 새로운 문물이 탄생하면서 인간은 새로운 도전의 앞에 섰다. 혼란과 폭력 속에서 근대는 시작되었고 인간은 한 번도 가지 않은 길로 나아갔다.

흑사병이 지나가고 세계는 그야말로 초토화되었다. 하지만 그러한 백지 속에서 인간은 온 힘을 다해서 재건하고 회복했다.

다시 실크로드가 열리고 동서 간의 교류는 활발

해졌으며 수많은 상인, 학자, 외교관이 그 길을 밟았다. 하지만 더 나은 항해술과 조선술은 더 이상 육로만이 아닌 바닷길을 통한 교류도 가능하게 했다.

광란의 발전은 유럽인이 신대륙을 발전하게 하고 르네상스로 인해 탄생한 인본주의적 사고가 발전하여 종교의 광기에서 벗어나게 하였다. 15세기 말이 되자 전 세계적 차원의 변화를 유럽인이 먼저 받아들였다.

그들은 동양의 진귀한 보물을 획득하고자 투쟁하고 더 멀리 뻗어나갔다. 이제 세계적으로 탐험과 대항해의 시대가 열렸으며 바야흐로 제국주의의 싹도 자라나면서 인류는 자의 반 타의 반으로 알 수 없는 새로운 시대를 맞이할 준비를 마치게 되었다.

제국과 탐험 그리고 식민지의 시대

인류는 호기심을 가진 존재이다. 다른 유인원과 달리 나무에서 내려오는 선택을 하고 직립보행을 하고 손을 만들어낸 것도 모두 그러한 것에서 비롯된 것이다. 아프리카를 벗어나서 유라시아로 향하면서 끝내 전 세계로 퍼진 인류는 이제 신대륙을 발견하고 대항해의 길로 나아갔다.

하지만 이 길은 서양이 앞장섰다. 콜럼버스에 의해 신대륙이 발견되고 그곳의 진귀한 것들이 유럽에 알려지면서 너도나도 탐험에 나섰다. 중국도 명나라 정화의 대원정을 통해 항해에 관심을 가지지 않은 것은 아니나 내부의 여러 이유로 인해 일회성에 그쳤다.

한편 유럽인들은 자신들을 제외한 사람들이 대항해에 적극적으로 나서지 않았기에 사실상 그 내부에서 독점적으로 나설 수 있었으며 더 많은 식민지와 수탈할 대상을 몰두하면서 엄청난 욕망을 불려 나갔다. 그리고 그 욕망 아래에는 비유럽인의 눈물로 가득했다.

세계화의 여명

신대륙 발견 이후 남미에서 은 광산이 발견되자 대대적인 실버러시가 일어났다. 여기서 채굴된 은을 가지고 유럽이 중국의 물품을 사기 위한 대금으로 사용할 정도였다. 한편 신대륙에서 금 광산도 발견되면서 광란의 골드러시도 일어났다.

이제 유럽인은 새로운 성공을 위해 신대륙으로 건너가 정착했고 폭력을 동원해서 원주민의 땅을 빼앗고 그들의 정착촌을 만들었다. 마치 지금 팔레스타인 땅에 이스라엘 유대인이 저지르는 짓을 그 당시에도 한 것이다.

신대륙과 유럽으로 대표되는 구대륙은 상호 긴밀히 소통하고 서로의 자원과 사람을 통해 살아갔다. 지금의 세계화 모델이 그 당시에 극초기 형태로 등장한 것이다.

이러한 과정에서 네덜란드는 튤립 투기가 성행하여 버블이 생기는 등 비록 무지몽매한 상태지만 초기 자본주의적 행태도 함께 태동하였다.

자원과 지식을 둘러싼 투쟁

인간은 항상 새로운 한계에 도전하면서 새로운 자원과 지식을 구하기 위해 스스로 가진 한계의 벽을 밀고 나갔다. 17세기의 유럽은 이제 지구 전체를 대략 알게 되었다. 무한한 팽창과 영토 경쟁은 이제 서서히 지도상의 빈칸이 사라지고 예정된 충돌만을 암시했다.

한정된 자원과 영토를 두고 유럽인은 전 세계적으로 충돌했다. 그리고 그 과정에서 중국을 비롯한 비유럽은 그저 체스판의 말에 불과했으며 획득을 위한 대상에 불과했다. 그리고 그 충돌을 위해 지식은 과학 혁명이라는 이름으로 발전했다.

이러한 유럽의 상황에도 중국은 깊이 잠든 사자처럼 깨어날 기미를 보이지 않았고 인도와 신대륙을 집어삼킨 유럽은 중국에도 눈독을 들였다.

혁명의 시간

근대가 무르익고 유럽 전역에서는 산업 혁명이 일어나면서 자본주의적 양식으로 세상이 변모하였다. 하지만 봉건적 잔재가 여전히 남아 있어 마치 화약고처럼 불안한 시간의 연속이었다.

신대륙에서는 '보스턴 차 사건'을 계기로 영국의 부당한 조세에 저항하고 독립하고자 하였다. 그리고 그 독립 혁명 끝에 미국이 탄생하였다.

영국에서도 명예혁명을 통해 왕권이 제한받고 정식 의회가 결성되었으며 입헌주의의 틀이 마련되는 등 변화가 시작되었다. 프랑스는 대혁명을 통해 왕이 타도되고 공화국으로 향했다.

선거권은 점차 확대되었지만, 노동자의 삶이 개선되지 않자, 마르크스가 주장한 공산주의를 신봉하는 자들에 의해 러시아 제국이 무너지고 소련이 건국되었다.

각자 이름은 다르지만, 급진적인 변혁을 통해 기성 체제를 뒤집자는 사람들이 모이면서 다양한 혁명이 전 지구적으로 이루어진 것이다.

한편 중국에서도 신해혁명을 통해 청나라가 막을 내렸으며 일본은 메이지유신을 통해 근대 국가로 나아갔다. 조선도 대한제국을 선포하였다.

민족주의와 이민자의 공존과 갈등

근대 사회에서 민족의 개념이 형성되고 국민국가가 본격적으로 등장하면서, 우리는 해당 국가에 살고 있고 같은 정체성을 공유하며 유전적으로 연관성이 있는 사람들을 묶어서 민족으로 부르며 깊은 유대감을 가지게 되었다.

어쩌면 그 이전에는 신분제로 인해 감히 같은 부류로 생각하지 못했으나, 신분제의 붕괴는 민족의식의 탄생으로 그 아노미를 없앨 수 있었다.

그리고 상당한 기간 우리는 서로 담을 쌓으며 내

적 공동체에 깊은 관심을 가지고 외부의 공동체는 별다른 관심을 가지지 않았다.

그게 결국 국가 간의 차이이고 이민자에 대한 거리감의 근원이다. 특히 두 차례의 세계대전은 내부의 결속과 외부의 적대시를 더욱 심화시키며 이민자에 대한 차별을 정당화하는 근거가 되었다. 이는 이민자의 나라라고 불리지만 실질적으로는 WASP가 주도권을 행사하는 미국에서도 나타났다.

그러한 상황 속에서 세계화가 이루어진 현시점의 다문화주의와 활발한 이민은 과거의 관념들과 지속적인 충돌의 선봉장이 되면서 무수한 사회적 갈등을 주기적으로 일으킨다.

그 속에서 특히 한국처럼 비주류에 대한 차별이 심하고 소수의 문화적 관념을 가진 국가일수록 과거의 관념이 현재의 이민자를 직접 혹은 간접적으로 하여 여러 형식으로 그들을 공격한다.

예를 들어, 한국의 경우는 이민자에 대한 차별이 심각한 문제로 지적받고 있다. 한국은 단일민족국가라는 정체성에 기반한 민족주의가 강한 국가이기 때문에, 이민자를 배척하고 차별하는 경향이 있다.

이러한 경향은 한국 사회의 비주류에 대한 차별과도 맞물려, 이민자들이 더 큰 차별과 소외를 경험하게 되는 원인이 되고 있다.

중국도 이민자에 대한 차별이 심각한 문제이다. 중국은 최근 급격한 경제 성장으로 인해 많은 외국인 노동자가 유입되었지만, 이러한 외국인 노동자들은 중국 사회에서 차별과 불이익을 겪고 있다.

중국의 경우는 이민자에 대한 차별이 경제적 이유와도 관련이 있는데, 중국 정부는 외국인 노동자를 저임금 노동자로 활용하기 위해 차별을 용인하고 있다는 지적이 있다.

이민자에 대해 반대할 수도 있고 찬성할 수도 있으나, 그 반대의 근거가 과거의 구습적 관념이나 편견에 입각한다면 그 설득력은 떨어진다고 할 수 있다. 현재의 반이민정서도 설득력이 부족한 면이 많다.

그러나 현실적으로 세계화가 가속되면서 인종이 섞이는 경우는 피할 수 없다. 과거 바다 민족의 사례에서 보듯 벽을 쌓고만 살 수도 없다. 그리고 인종이 섞이면 문화도 섞일 수밖에 없다. 이러한 전제 속에서 해결방안을 찾아야지 파시스트처럼 모든 이민자를 추방하자고 주장할 수는 없는 노릇이다.

물론 이민자에 대한 차별과 갈등을 완전히 해소하는 것은 쉽지 않다. 인간의 뇌리에 깊숙이 있는 관념은 사실 쉽게 해소하기 어렵기 때문이다.

그러나 현 상황을 인정하면서 사회 내부의 주류문화를 인정하고 비주류에 대한 어떠한 형태의 폭력을 배제하면서 양 문화가 공존하는 사회적 모델을 제시하고 그것을 끌어낸다면 자연스럽게 민족주의와 이민자에 대한 문제는 해소될 것으로 기대된다.

기후 위기의 불평등

한국 사회를 비롯한 국제 사회에서 큰 화두는 지구 온난화이다. 이는 과거의 과학자를 비롯한 일부 집단에서 문제의식을 공유하던 것을 넘어 일반인까지 문제의식을 느끼게 된 것에서 비롯되었다.

다수의 사람은 생업에 바쁘기에 어떠한 문제에 대해서 깊은 관심을 쏟을 시간을 확보하기 어렵다. 그런데 지구 온난화가 다수 대중에게 관심을 가지게 했다는 것은 대중이 피부로 문제를 느꼈다는 것이다.

이는 과거 소수에 의한 과장된 공포가 아닌 실체

적 사실을 의미하므로 지구 온도의 상승과 그로 인한 피해가 상당하다고 할 수 있으며 인류의 생존을 위협하는 다양한 타격이 우리에게 오고 있다는 것이다.

한편 개발도상국 사례의 하나를 살펴보면 중국이 있다. 세계 최대의 탄소 배출국인 중국의 탄소 배출량은 전 세계의 약 30%를 차지한다.

그렇지만 중국은 최근 몇 년간 기후 변화 대응에 대한 노력을 강화하고 있다. 2060년까지 탄소 중립을 달성하겠다는 목표를 발표하고, 재생 에너지 개발에 투자하고 있다.

이러한 지구 온난화에 대한 각국의 대처와 그로 인한 후과(後果)는 각 국가에 따라 다르다. 특히 빈곤한 국가일수록 대처가 지지부진하고 피해는 함께 입게 된다. 이는 이번 코로나19 백신의 선진국 사재기가 결과적으로 종식을 늦췄다는 예시를 들 수 있다.

기후 불평등으로 불리는 이러한 문제에 대해 우리는 매우 다양한 연구 결과를 찾아볼 수 있었다. 우리 모두도 그러한 연구들에 대해 깊이 공감한다.

하지만 국제 사회는 선의에 의해 움직이는 것은 아니므로 단순히 선진국들에 호의를 바라는 것은 현실적이지 않다.

우리는 개발도상국의 기후 변화에 대한 대처에 선진국이 적극적으로 나서는 것이 이익임을 각인시켜야 한다. 그래야만 전 지구적으로 일어나는 온난화를 멈추고 다시 지구의 온도를 낮춰서 인류의 안녕을 기원할 수 있다.

결국 문제는 선진국의 설득과 동참을 유도하는 것이다. 하지만 이에 대해서 많은 논의가 있었지만, 확실히 어려운 실타래처럼 쉽사리 답이 나오지 못했다.

그러한 문제를 계속 곱씹으면서 우리는 이 문제

에 있어 지구상의 모든 국가가 동참하고 선진국이 더 많이 참여할 수 있는 장을 만든다면 기후 불평등은 자연스럽게 해소될 것이다.

문명의 발전은 반동과의 투쟁사다

일론 머스크는 '수백 년 전으로 돌아간다면 오늘날 우리가 당연하게 여기는 것이 마법처럼 보일 것입니다. 장거리에 있는 사람들과 대화할 수 있고, 이미지를 전송하고, 하늘을 날고, 오라클처럼 방대한 양의 데이터에 액세스할 수 있습니다. 이것들은 모두 수백 년 전에는 마법으로 여겨졌을 것입니다'라고 말하였다.

이는 기술은 스스로 가만히 둔다고 해서 발전하는 것이 아니라 우리 스스로 발전시켜야 하고 그리하면 후대의 기술은 전대의 사람이 볼 때 마법으로 보일 정도로 발전할 수 있다는 의미이다.

우리는 과거 문명사를 통해 문명이 파괴되고 후퇴하는 경우를 너무나 많이 보았다. 무세이온이 파괴되지 않았다면 우리의 문명은 500년은 더 앞에 나아가 있을 것으로 보는 학자도 있으니 말이다.

문명은 결코 진보를 향해 곧바로 나아가지 않는다. 우리가 반달리즘과 반동 그리고 후퇴를 시도하려는 모든 세력과 투쟁해서 승리해야 우리는 진보할 수 있다. 이것이 역사가 우리에게 주는 법칙이다. 그렇기에 우리는 문명의 이기를 얻기 위해 오늘도 앞으로 꾸준히 나아가야 한다.

중국이 세계 문명의 중심이라고 보는 관점

문명은 동방에서 온다는 말처럼 중국은 세계에서 오래된 문명 중 하나로, 그 역사는 5,000년 이상에 달한다. 중국은 이러한 오랜 역사와 전통을 바탕으로 발전한 독특한 문화를 가지고 있다.

또한, 중국은 세계 경제에서 중요한 위치를 차지하고 있으며, 정치, 군사, 문화 등 다양한 분야에서 세계에 영향을 미치고 있다. 이러한 이유로 중국은 세계 문명의 중심이라고 주장할 수 있다.

먼저, 중국은 세계에서 오래된 문명 중 하나이다.

중국의 역사는 5,000년 이상에 달하며, 그동안 중국은 다양한 문명을 발전시켰다. 중국의 문명은 농경, 도자기, 철기, 종이, 인쇄술 등 다양한 분야에서 세계에 큰 영향을 미쳤다.

중국은 독특한 문화를 가지고 있다. 중국의 문화는 오랜 역사와 전통을 바탕으로 발전했으며, 그 특유의 색채를 가지고 있다. 중국의 문화는 예술, 문학, 음악, 의복, 음식 등 다양한 분야에 걸쳐 있다.

역사 속에서도 중국의 활약이 있다. 로마가 망하고 유럽에 문명이 사라졌을 때 우리는 이슬람에 의해 그리스 및 로마 문명을 유럽이 다시 꽃 피울 수 있었다는 것은 잘 안다. 그들은 페르시아와 아랍 문화를 통합하고 고전을 수집하여 그리스 및 로마 문명을 접목했다. 또한 안전한 무역로인 아라비아반도를 제공하고 끊어진 문명을 이었다.

하지만 그 이슬람이 문명을 얻고 그것을 보호하

는 것에 기본적 도움을 준 것은 중국이다. 하다못해 종이를 만드는 법이나 연금술에 대한 지혜를 준 사례도 있다. 또한 도시가 망하지 않는 방법도 전수해 주었다. 그러니 유럽이 다시 문명을 얻을 수 있게 하는 것에는 중국이 키다리 아저씨와 같은 역할을 한 것이다.

중국은 세계 경제에서 중요한 위치를 차지하고 있다. 중국은 세계에서 두 번째로 큰 경제 규모를 가지고 있으며, 세계 무역에서 중요한 역할을 하고 있다. 중국의 경제 성장은 세계 경제에 큰 영향을 미치고 있다.

중국은 정치, 군사, 문화 등 다양한 분야에서 세계에 영향을 미치고 있다. 중국은 유엔 안전보장이사회 상임이사국으로, 국제 사회에서 중요한 역할을 하고 있다. 또한, 중국은 군사력을 강화하고 있으며, 세계에서 영향력 있는 나라로 부상하고 있다.

이처럼 중국이 세계 문명의 중심이라고 주장할 수 있는 근거는 충분히 존재한다. 중국은 오랜 역사와 전통을 바탕으로 발전한 독특한 문화를 가지고 있으며, 이외에도 정치, 군사, 문화 등 다양한 분야에서 세계에 영향을 미치고 있다. 이러한 이유로 중국은 세계 문명의 중심이라고 볼 수 있다.

21세기 새로운 강대국인 중국의 비상

과거 유럽은 중국에서 보는 무역 적자를 해소하기 위해 인도산 물품을 팔고자 했지만 별로 호응이 없었다. 그러다가 극단적인 수로 아편을 팔았고 이는 효과적으로 중국인을 아편 중독자로 만들어 막대한 부를 갈취했다.

그러자 중국이 임칙서를 통해 유럽 상인들이 아편을 팔지 못하게 하자 아편전쟁이라는 아주 더러운 전쟁을 일으켰고 승리한 끝에 중국 여러 지역을 조차지로 만들고 침탈했다. 특히 중국에서 영국은 홍콩을 전리품으로 빼앗았고 포르투갈은 마카오를 빼앗았다.

이후 일본에 의해 짓밟히고 만주에는 만주국이라는 괴뢰국이 생겼지만, 당시 중국은 국공내전으로 제대로 된 대응을 하지 못했다. 제2차 세계대전이 끝나고 중국 공산당이 중국 국민당을 대만으로 밀어내며 중화인민공화국을 1949년 10월 1일에 선포했다.

중국 공산당의 승리는 중국 인민에게 부를 돌려준다는 그들의 약속을 믿은 농민들의 절대적 지지에 있었지만, 중화인민공화국 건국을 통해 기존 서방의 불평등 조약과 홍콩 및 마카오를 제외한 모든 조차지를 폐지함으로써 중국인의 구겨진 자존심을 회복했다.

이후 UN 상임이사국에 오른 중국은 영국으로부터 홍콩을 1997년 7월 1일에 반환받고 포르투갈로부터 마카오를 1999년 12월 20일에 반환받으면서 중국은 제국주의의 어두운 잔재를 완전히 털어냈다.

이제 중국은 세계 초강대국으로 21세기를 맞이하

기 위해 나아가고 있다. 중국 공산당의 지도를 통해 중국 특색 사회주의의 더욱 광활한 비전을 개척하는 데 총력을 기울이고 있다. 이러한 중국의 비상을 세계는 주의 깊게 살펴봐야 할 필요성이 점점 제기된다.

새로운 경계를 넘어서

21세기 현재 인간은 지구를 완전히 지배하고 있으며 지구의 부도 착취하고 있다. 지리적 한계를 뛰어넘어 구석까지 개척하고 우주를 개척하고자 나아가고 있다. 이미 달은 1969년에 인간이 방문을 허용하였다.

인간은 과학을 극한으로 쌓아 올려 이제 인공지능에서 지능이라는 것은 외부에 객관적으로 실재하는 존재를 모상한 의식이 형성되어 그것이 체계화되는 능동적인 과정인 지능을 모방하여 인공지능을 만드는 단계까지 왔다.

이제 기술이 기술을 발전시키고 '기술적 특이점'을 향해 앞으로 나아가고 있으며 인간이 이해할 수 없을 정도로 빠르게 발전하고 있다.

인간은 언제나 새로운 것을 향해 지평선 너머를 항해하는 여행자이자 탐험가이다. 15만 년 동안 앞으로 나아온 인간은 이제 이 장에서 현재를 만난다. 앞으로 어떠한 역경과 시련이 존재하는지 아무도 알 수 없다. 또한 현대 사회에 많은 자살로 포장된 사회적 타살도 뛰어넘어야 하는 문제도 추가로 제시된다.

인간은 지구에 등장한 순간부터 도전의 연속을 극복했다. 화산, 빙하, 전염병, 전쟁과 같은 시련을 넘어서 동물에서 지성체로 나아왔다. 이제 그 승리의 역사를 뒤로하고 새로운 지혜를 얻으며 새로운 경계를 넘을 것이다. 그러므로 인류의 다음 이야기는 우리가 하기 나름이다.

제 4 장

세계 속 화인 문명공동체 조망

세계 최대 디아스포라인 화교

표준국어대사전에서 디아스포라를 찾아보면 '흩어진 사람들이라는 뜻으로, 팔레스타인을 떠나 온 세계에 흩어져 살면서 유대교의 규범과 생활 관습을 유지하는 유대인을 이르던 말'이라고 되어있다. 일반적으로 세계에 퍼진 민족 하면 유대인이 연상되기에 사전에도 그리 적혀있다.

하지만 '디아스포라'라는 의미는 확장되어 민족이 세계 각지로 퍼진 경우에도 널리 사용된다. 인도나 일본 디아스포라라는 말도 근래에 흔하다.

하지만 세계 최대의 디아스포라는 화교이다. 전 세계 어디를 가도 '차이나타운'은 존재하며 어느 국가에도 중국인은 존재한다. 이는 중국이 고대에 널리 퍼진 역사도 있지만 제국주의 시기의 이민이나 노예로 팔려 온 경우도 있다.

또한 중국은 해당 국가로 가서도 완전히 동화되지 않고 독자적인 문명공동체를 이뤄냈다. 이는 인류 문명사에서 매우 독특한 사례로 다른 민족의 디아스포라와 다른 차별화된 점이다. 이러한 점에서 화교로 불리는 중국인의 디아스포라는 문명사적 의의가 있으며 문명을 연구하는 학자들의 깊은 관심이 요구된다.

화교와 문명

문명들 사이의 교류와 갈등에서 형성된 세계의 보편적인 성격을 거시적 수준과 미시적 수준에서 동시에 이해하기 좋은 사례 중 하나가 화교이다. 이는 중국 화교가 세계에서 가장 많이 퍼진 디아스포라이기에 그러하다.

중국 화교의 문화와 역사는 중국의 역사와 문화, 그리고 세계 각국의 역사와 문화를 바탕으로 형성되었다. 따라서, 중국 화교의 역사와 문화를 이해하기 위해서는 중국의 역사와 문화, 그리고 세계 각국의 역사와 문화에 대한 이해가 필요하며 두 가지가 융합된 것은 문명사적으로 몹시 독특하고 의의가 있다.

한편 그러한 것을 살펴보는 데 있어 중국 화교의 세계 분포와 현황은 세계 각국의 역사와 문화에 영향을 받았다고 보아야 한다. 그렇기에 세계사와 인류 문명 관련 과목을 통해 세계 각국의 역사와 문화를 이해하면 중국 화교의 세계 분포와 현황을 이해하는 데 도움이 될 수 있다.

하지만 그것을 살펴보는 것에 있어 동양과 서양의 생성과 발전을 살펴보고 문명의 역사적 특수성과 물질적 토대를 이해하여야 내재적 접근이 가능하며 깊이 있게 제대로 볼 수 있다. 고로 중국 화교의 문화적 특징은 중국의 역사와 문화, 그리고 세계 각국의 문화적 영향을 받아 독자적이고 창조적으로 형성되었다.

따라서, 세계사와 인류 문명 관련 과목을 통해 중국의 역사와 문화, 그리고 세계 각국의 문화를 이해하면 중국 화교의 문화적 특징을 이해하는 데 도움이 될 수 있으며 그러한 부문을 적극적으로 분석하고 확대한다면 지식인 내부에서도 더 많은 연구와 문명사의 발전에도 이바지할 수 있다.

홍콩 문화의 형성과 특징

홍콩은 중국 남동부에 있는 특별 행정구역으로, 1842년 아편전쟁 이후 영국의 식민지가 되었다가 1997년 중국에 반환되었다. 이러한 복잡하고 어려운 역사적 배경으로 인해 홍콩 문화는 동서양의 문화가 혼재된 독특한 특징을 가지고 있으며 중국어권 문화 중 대표로 사람들에게 인식된다.

홍콩 문화의 가장 대표적인 특징은 다양성이다. 홍콩은 영국, 중국, 미국, 일본 등 다양한 문화권의 사람들이 모여 사는 도시이다. 이러한 다양한 문화가 서로 영향을 주고받으며, 홍콩만의 국제적이면서도 독특한 문화를 형성하였다.

홍콩 문화의 또 다른 특징은 개방성이다. 홍콩은 세계적인 무역항과 금융 중심지로, 다양한 문화와 정보가 교류하는 도시이다. 이러한 경제적으로 개방적인 분위기는 많은 외국 자본 유치를 부르고 이는 다시 홍콩의 투자가 되어 그 내부 문화를 풍요롭게 만드는 긍정적인 요인으로 작용한다.

홍콩 문화의 대표적인 예시로는 음식을 들 수 있다. 홍콩 음식은 중국 본토의 음식과 서양 음식이 혼합된 형태를 띠고 있다. 대표적인 음식으로는 딤섬, 에그타르트, 차우파이 등이 있다. 또 다른 예시로는 언어를 들 수 있다. 홍콩에서는 광동어, 영어, 중국어(표준어)가 공용어로 사용되고 있다. 이러한 다양한 언어의 사용은 홍콩의 문화적 다양성을 잘 보여주는 사례이다.

이외에도 홍콩 문화에는 영화, 음악, 예술 등 다양한 분야에서 독특한 특징을 가지고 있다. 홍콩 영화는 세계적으로 인정받는 수준을 자랑한다.

한편 홍콩 음악은 다양한 장르의 음악이 혼재되어 있다. 또한, 홍콩 예술은 동서양의 문화가 조화를 이루는 독특한 특징을 가지고 있다. 홍콩 문화는 동서양의 문화가 조화를 이루며 독특한 특징을 형성하고 있다. 이러한 홍콩 문화는 홍콩을 더욱더 매력적인 도시로 만드는 요인으로 작용한다.

이러한 홍콩 문화는 중화 문명권이 우리가 아는 중국의 한 모습만 아니라 전혀 색다른 모습으로도 나타날 수 있음을 의미하는 사례이다.

대만 문화의 형성과 특징

대만은 타이완섬을 지배하고 있는 국가로 중화민국이 국부천대로 인해 정착했으나 현재는 독립 세력인 민주진보당을 중심으로 한 범록연맹이 강세이기에 사실상의 독립적 세력으로 국제 사회에 여겨진다. 한편 중국은 대만을 자신의 영토로 생각하며 독립국으로 인정하지 아니한다.

대만의 문화는 중국 대륙의 한(漢)문화를 중심으로 대만 토착민 문화, 일본 문화, 유럽 문화 등의 영향이 서로 만난 문화이다. 대만은 중국 대륙에서 남쪽으로 약 1,500km 떨어진 곳에 있는 섬으로, 오랜 역사 동안 다양한 문화의 영향을 받아왔다. 그중에서도 대만의 토착민은 약 2만 년 전부터 대만에 거주해 온 원주민으로, 현재 약 26개의 부족으로 나뉘어 있다. 토착민들은 독자 문화를 가지고 있는데, 대표적으로 뱀 숭배, 부족 별 고유한 언어, 독특한 의상 등이 있다.

대만은 1624년 네덜란드의 지배를 시작으로 1895년까지 일본의 지배를 받았고, 1945년 이후에는 중국에서 이주해 온 한족이 대다수를 차지하게 되었다. 이러한 역사적 배경으로 인해 대만 문화는 중국의 문화와 일본 문화의 영향을 동시에 받았으며 국부천대 이후에는 한국 문화의 영향도 강하게 받아 삼국의 문화가 혼합되어 있다.

이러한 대만 문화의 특징으로는 주로 3가지 요소를 볼 수 있다. 먼저 다양성인데 이는 대만이 다양한 문화의 영향을 받아왔기 때문에, 매우 다양한 문화적 특징을 가지고 있다. 또한 개방성도 있는데 이는 대만은 외국 문화에 대한 개방성이 높아, 다양한 문화적 요소가 공존하고 있기 때문이다. 한편 현대성도 특징으로 대만은 경제적으로 발전한 국가로, 현대적인 문화를 가지고 있고 주위 국가들보다 발전 수준이 높다는 것에서 그러한 점이 크게 드러난다.

한편 대만의 종교는 불교, 도교, 기독교 등이 혼재되어 있다. 불교는 대만에서 가장 널리 퍼진 종교로, 약 30%의 인구가 불교를 믿고 있다. 도교는 약 25%의 인구가 믿고 있으며, 기독교는 약 20%의 인구가 믿고 있다. 그리고 대만의 예술은 중국 전통 예술과 서양 예술의 영향을 동시에 받았다. 중국 전통 예술로는 서예, 회화, 음악 등이 있으며, 서양 예술로는 영화, 드라마, 음악 등이 있어 다양하게 향유한다.

이처럼 대만은 다양한 문화의 영향을 받아 독특하고 매력적인 문화를 가지고 있는 나라이다. 누구나 대만을 방문한다면 다양한 문화를 경험하고, 새로운 문화적 감동을 강하게 느낄 수 있을 것이다.

마카오 문화의 형성과 특징

마카오는 중국 남부에 있는 특별행정구로, 중국 본토와 포르투갈의 문화가 공존하는 독특한 도시이다. 1557년 포르투갈이 마카오에 정착한 이후 442년 동안 포르투갈의 지배를 받았으며, 이 기간에 중국과 포르투갈의 문화가 융합되어 마카오만의 독특한 문화가 형성되었다. 그렇기에 마카오의 문화는 크게 중국 문화와 포르투갈 문화로 나눌 수 있다.

중국 문화는 마카오의 기본적인 문화를 형성하고 있다. 마카오의 주민 대부분은 중국인이며, 중국의 언어, 종교, 전통 등이 마카오 곳곳에 뿌리내리고 있다. 마카오에서는 유교, 도교, 불교 등이 널리 퍼져 있다.

유교는 마카오 사회의 기본적인 가치관을 형성하는 데 큰 영향을 미쳤으며, 도교와 불교는 마카오 주민의 종교적 믿음의 바탕을 이루고 있다. 또한 마카오에는 중국의 다양한 전통이 보존되어 있다. 전통적인 중국 의상, 음식, 예술, 축제 등이 마카오의 문화를 풍성하게 하고 있다.

한편 포르투갈 문화는 마카오의 역사와 함께 발전해 온 문화이다. 포르투갈의 언어, 건축, 음식, 음악 등이 마카오에 뚜렷한 영향을 미쳤다. 마카오에는 포르투갈 양식의 건축물이 많이 남아 있다. 성 바울 성당의 유적, 세나도 광장, 카스텔루 성 등은 마카오의 대표적인 포르투갈 양식 건축물이다.

이외에도 마카오의 음식은 중국과 포르투갈의 문화가 결합한 독특한 음식입니다. 새우 크로켓, 윈난식 닭고기, 에그타르트 등이 마카오의 대표적인 음식이다. 그리고 마카오 전통 음악인 캉타는 마카오의 대표적인 문화유산으로 지정되었다.

마카오의 문화는 동서양의 문화가 조화롭게 어우러진 독특한 문화이다. 마카오를 방문하면 중국과 포르투갈의 문화가 어떻게 결합하여 있는지 생생하게 느낄 수 있으며 문화의 다양성과 융합성, 열린 태도를 직접 느낄 수 있을 것이다.

내몽골 문화의 형성과 특징

내몽골(남몽골)은 중국 북부에 있는 자치구로, 화인의 영향을 받기도 하지만 기본적으로 몽골족이 주류를 이루는 지역이다. 내몽골은 오랜 역사와 전통을 가진 지역으로, 독특한 문화를 가지고 있으며 행정적으로도 준독립국 정도로 자치가 강하고 문화적 독자성도 강하다.

내몽골 문화의 가장 큰 특징은 유목 생활을 기반으로 한다는 것이다. 내몽골은 광활한 초원이 펼쳐진 지역으로, 몽골족은 수천 년 동안 유목 생활을 해왔다. 유목 생활은 내몽골 문화에 깊은 영향을 미쳤다.

내몽골의 전통 의상은 유목 생활에 적합하게 만들어졌다. 남성들은 몽골 전통 복장인 델을 입고, 여성들은 몽골 전통 복장인 데일리를 입는다. 델과 데일리는 모두 가죽이나 털로 만들어졌으며, 추운 날씨에 대비하기 위해 두껍게 만들었다.

내몽골의 전통 음식도 유목 생활에 적합하게 만들어졌다. 내몽골의 대표적인 음식으로는 몽골 보리밥인 보츠, 몽골식 양고기 요리인 호쇼르, 몽골식 젖으로 만든 요리인 아이락 등이 있다.

내몽골의 전통 예술은 유목 생활의 모습을 반영하고 있다. 몽골 전통 음악은 주로 목청으로 부르는 노래와 기타와 같은 악기를 연주하는 곡으로 이루어져 있다. 몽골 전통 음악은 힘차고 역동적인 분위기를 가지고 있고 유목 생활의 아름다움을 표현하고 있다. 이외에도 주로 벽화, 조각, 공예품 등도 상당히 우수한 편이다. 이처럼 몽골 전통 예술은 화려하고 독특한 색채를 가지고 있다.

결론적으로 내몽골 문화는 오랜 역사와 전통을 가진 풍부한 문화이다. 내몽골 문화는 유목 생활, 전통 의상, 전통 음식, 전통 음악, 전통 예술 등 다양한 측면에서 몽골족의 삶을 반영하고 있다.

티베트 문화의 형성과 특징

티베트는 중국 서부에 있는 자치구로, 화인의 영향을 받기도 하지만 기본적으로 티베트족이 주류를 이루는 지역이다. 그들은 독특한 문화와 역사가 있다. 티베트 문화는 크게 불교, 음악, 예술, 의식주 등 네 가지로 나눌 수 있다.

티베트 문화의 중심에는 불교가 있다. 티베트 불교는 인도에서 전래한 불교가 티베트의 토착 종교인 샤머니즘과 결합하여 발전한 독특한 형태의 불교이다. 티베트 불교는 깨달음을 얻기 위해 수행과 명상을 강조하며, 라마라는 성직자가 그 중심에 있다. 라마는 티베트 불교의 최고 권위자로, 종교와 정치, 사회의 모든 영역에서 중요한 역할을 한다.

티베트 음악은 불교 음악을 중심으로 발전하였다. 티베트 불교 음악은 종교적 의식에서 사용되는 경우가 많으며, 그

외에도 민속 음악, 가극 음악 등 다양한 장르가 있다. 티베트 음악은 주로 시타르, 마두르, 드럼 등 전통 악기를 사용하여 연주된다.

티베트 예술은 불교 미술을 중심으로 발전하였다. 티베트 불교 미술은 탱화, 만다라, 조각 등 다양한 형태로 표현된다. 탱화는 불교의 가르침을 그림으로 표현한 것으로, 티베트의 대표적인 예술 작품 중 하나이다. 만다라는 불교의 우주관을 상징하는 도상으로, 종교적 의식에서 사용된다.

티베트 의식주는 고산지대의 기후와 환경에 맞게 발달하였다. 티베트의 전통 의상은 털옷으로 만들어져 추위를 막아준다. 티베트의 음식은 고기, 곡물, 채소 등을 주로 사용하며, 소금이 많이 사용된다. 티베트 전통 가옥은 돌로 지어져 있으며, 지붕은 초가로 덮여 있다.

티베트 문화는 고산지대의 독특한 환경과 역사 속에서 발전해 온 독특한 문화이다. 티베트 문화는 불교, 음악, 예술, 의식주 등 몹시 다양한 분야에서 그 특색을 나타내고 있으며 인류 문명사적으로 깊은 가치를 담고 있다.

서방의 화교

서방에서 화교가 거주하는 지역 중 주된 곳은 유럽과 미국이다. 특히 이 지역은 세계에서 가장 큰 화교 인구를 보유한 두 지역이기도 하다. 유럽의 화교 인구는 약 200만 명으로 추산되며, 미국의 화교 인구는 약 450만 명이다.

유럽의 화교는 주로 19세기와 20세기 초에 중국에서 이주해 온 사람들이다. 그들은 주로 사업, 식당, 의류 산업에 종사하고 있다. 유럽의 화교는 중국 본토와의 긴밀한 관계를 유지하고 있으며, 중국의 경제 성장에 크게 기여하고 있다.

미국의 화교는 주로 19세기와 20세기 중반에 중국에서 이주해 온 사람들이다. 그들은 주로 사업, 과학, 기술, 예술 분야에서 두각을 나타내고 있다. 미국의 화교는 미국 사회에서 중요한 역할을 하고 있으며, 미국의 경제와 문화 발전에 크게 기여하고 있다.

유럽의 화교는 중국 본토와의 긴밀한 관계를 유지하고 있다. 그들은 중국의 경제 성장에 크게 기여하고 있으며, 중국 기업의 유럽 진출을 돕고 있다. 또한, 유럽의 화교는 중국의 문화와 전통을 유럽에 알리는 데에도 중요한 역할을 하고 있으며 미국의 화교는 중국 본토와의 관계를 유지하면서도 미국 사회에 적극적으로 동화한다. 그들은 미국의 교육과 문화를 받아들이고, 미국 사회의 일원으로서 책임을 다한다.

유럽과 미국의 화교는 앞으로도 계속해서 성장할 것으로 예상된다. 중국의 경제 성장과 세계화로 인해 유럽과 미국으로의 화교 이민이 증가할 것으로 예상되기 때문이다. 또한, 유럽과 미국의 화교는 중국 본토와의 관계를 유지하면서도 미국 사회에 적극적으로 동화될 것으로 예상된다.

유럽과 미국의 화교는 중국과 서양의 문화를 연결하는 중요한 역할을 할 것으로 기대된다. 그들은 중국의 경제와 문화를 유럽과 미국에 알리는 데에 이바지할 것이며, 유럽과 미국의 문화를 중국에 전파하는 데에도 이바지할 것이다.

동남아시아의 화교

동남아시아는 오래전부터 화교가 많이 진출한 지역으로 그 지역에서 화교가 거주하는 지역 중 주된 곳은 싱가포르, 말레이시아, 태국이다. 모두 화교 인구가 많은 국가이다. 싱가포르의 화교 인구는 약 75%로, 말레이시아의 화교 인구는 약 25%, 태국의 화교 인구는 약 14%로 추산된다.

싱가포르의 화교는 주로 19세기와 20세기에 중국에서 이주해 온 사람들이다. 그들은 주로 사업, 금융, 무역, 제조업 분야에서 두각을 나타내고 있다. 싱가포르의 화교는 싱가포르 경제의 발전에 크게 기여하고 있으며, 싱가포르 사회에서 중요한 역할을 하고 있다.

싱가포르의 화교는 중국 본토와의 관계를 유지하면서도 싱가포르 사회에 적극적으로 동화되고 있다. 그들은 영어와 중국어를 모두 사용하고, 싱가포르의 문화와 전통을 존중한다.

말레이시아의 화교는 주로 19세기와 20세기에 중국에서 이주해 온 사람들이다. 그들은 주로 사업, 농업, 어업, 제조업 분야에서 두각을 나타내고 있다. 말레이시아의 화교는 말레이시아 경제의 발전에 크게 기여하고 있으며, 말레이시아 사회에서 중요한 역할을 하고 있다.

말레이시아의 화교는 중국 본토와의 관계를 유지하면서도 말레이시아 사회에 적극적으로 동화되고 있다. 그들은 말레이어와 중국어를 모두 사용하고, 말레이시아의 문화와 전통을 존중하고 있다.

태국의 화교는 주로 19세기와 20세기에 중국에서 이주해 온 사람들이다. 그들은 주로 사업, 무역, 제조업, 금융 분야에서 두각을 나타내고 있다. 태국의 화교는 태국 경제의 발전에 크게 기여하고 있으며 중요한 역할도 하고 있다.

이처럼 태국의 화교는 중국 본토와의 관계를 유지하면서도 태국 사회에 적극적으로 동화되고 있다. 그들은 태국어와 중국어를 모두 사용하고, 태국의 문화와 전통을 존중하고 있다.

동남아시아의 화교는 앞으로도 계속해서 늘어나고 성장할 것으로 예상된다. 중국의 경제 성장과 세계화로 인해 이들 국가로의 화상(華商)을 중심으로 한 화교 이민이 증가할 것으로 예상되기 때문이다. 또한, 이들 국가의 화교는 중국 본토와의 관계를 유지하면서도 이들 국가 사회에 적극적으로 동화될 것으로 예상된다.

싱가포르, 말레이시아, 태국의 화교는 중국과 동남아시아의 문화를 연결하는 중요한 역할을 할 것으로 기대된다. 그들은 중국의 경제와 문화를 동남아시아에 알리는 데에 이바지할 것이며, 동남아시아의 문화를 중국에 전파하는 데에도 이바지할 것이다.

한편 동남아시아 화교는 다음과 같은 특징을 가지고 있다. 첫 번째로는 사업에 대한 열정이다. 화교는 일반적으로 사업에 대한 열정이 강하다. 그들은 자신의 사업을 성공시키기 위해 노력하고, 다른 사람들을 도와 성공하도록 돕는 데에도 열정적이다.

두 번째는 가족에 대한 중요성이다. 화교는 가족에 대한 중요성을 강조한다. 그들은 가족의 화목과 번영을 위해 노력하며, 가족의 전통을 지키기 위해 노력한다.

세 번째는 교육에 대한 중요성이다. 화교는 교육에 대한 중요성을 강조한다. 그들은 자녀의 교육에 투자하고, 자녀가 성공적인 삶을 살 수 있도록 돕는다.

이러한 특징은 싱가포르, 말레이시아, 태국을 비롯한 동남아시아의 화교가 이들 국가 사회에서 성공을 거두는 데에 몹시 중요한 역할을 했다고 볼 수 있다.

제 5 장

한반도의 철학과 역사

미국과 중국의 갈등 속 한반도가 살길

미국과 중국의 갈등은 신냉전이라고 불릴 만큼 심각하다. 이러한 현실 속에서 한반도의 운명은 심각하며 잘못하다가는 과거처럼 또 열강에 끌려다닐 수 있는 위험이 있다. 그러므로 우리는 우리의 자주를 지키고 독자적인 목소리를 내기 위해서는 한반도 문제에 대해서 두 가지 관점을 가져야 한다. 그렇기에 친미도 친중도 아닌 '제3의 선택'이 요구된다.

먼저 우리의 지정학적 상황을 살펴보면 우리는 중국이 지리적으로 가깝기에 중국의 영향력이 좀 더 강한 편이다. 이때 중국의 모든 국력이 한반도에 집중된다면 우리는 어떠한 것도 할 수 없다. 그러므로 대만, 몽골과 같이 다른 곳으로 관심을 돌려서 한반도에 집중하지 못하도록 해야 한다. 또한 이와 더불어서 인도와 같은 제3세력을 한반도에 개입시키고 복잡하게 문제를 만들어서 완충 세력이 존재하도록 해야 한다. 그리하면 미국과 중국도 직접적으로 한반도에서 충돌하지는 않을 것이다.

이러한 부분을 연구회의 성과와 연결시키면 한반도에서 고대 단군 신앙이 변형된 형태의 기독교 신앙으로 유교가 부흥하기 전까지 한반도에 기독교 신앙이 존재했다는 점과 카친족 대다수가 성공회를 믿는 것처럼 고조선에서도 후기가 되면 기독교가 전해져서 일정 수준의 기독교 공동체가 있었다는 사실도 알 수 있다. 또한 아시아지역학에서 '지역'은 사실상 경영으로 해석해야 한다는 점과 인문학은 과학이며 사실상 인문과학으로 불러야 하고 학문, 철학, 과학은 사실상의 한 단어이며 철학 고유의 영역은 존재하지 않는다는 점도 연구 성과 중 일부이다. 마지막으로 유학동양학은 붙여 쓰면 유학과 동양학이 아니라 고전 동아시아학으로 봐야 하며 유교는 일부이지 전부가 아닌 것을 알면서 한반도가 독자적인 관점을 가지는 것에 연구 성과가 이바지하는 것을 알 수 있고 이를 통해서 자주적인 관점의 중요성과 그 구체적 사례를 들 수 있는 셈이다.

우리는 절대로 미국과 중국의 한쪽 편을 들어서는 안 되며 단순한 중립이 아닌 능동적 중립을 통한 제3의 선택을 해야 한다. 그러기 위해서는 중국과 경쟁할 수 있고 미국의 영향력 밖에 있으면서도 세계의 공장과 그 무역의 힘을 분산하는 인도를 반드시 키워야 한다. 또한 러시아도 중국과 같은 편에서 떼어내어 제3세계 국가로 전환하여 한국과 함께 하도록 하는 것도 병행해야 우리는 신냉전 시대에 생존을 담보할 수 있는 것이다.

동학 철학의 재발견이 필요하다

독자적인 철학이 없는 국가는 아무리 부유해도 다른 국가의 정신적 식민지이다. 우리나라도 철학이 존재하지만 서양 철학이거나 동양 철학이라도 중국의 유교 철학이거나 아니면 인도의 불교 철학이다. 그러므로 우리의 독자적 철학인 동학을 키워서 발전해야 성장할 수 있다. 특히 현대 사회는 복잡성이 증가하는 사회이므로 후천개벽을 주장했던 동학의 혁신적인 면모가 잘 적용될 수 있을 것이다.

한편 동학은 물리학의 반물질 개념을 적용할 수 있다. 하나의 예를 들면 이중성(duality)이나 상호보완성(complementarity)에 대한 철학적 개념에 반물질을 접목해 볼 수 있다. 물리학에서, 모든 입자는 그에 상응하는 반입자(반물질)를 가지며, 이 두 가지는 서로 없앨 수 있는 관계이다. 이것은 어떤 방식으로 보면 같은 존재의 두 가지 다른 면을 나타내는 것일 수 있으며, 우리가 세상을 이해하는 방식에 대한 통찰력을 제공한다. 이러한 생각은 동양 철학의 중요한 요소인 '음양' 개념과 관련이 있다. 음양은 서로 대립하면서도 보완적인 원리로서 우주의 모든 현상을 설명하려고 하므로 비슷하다.

또 다른 예시로는 '존재와 부재'라는 주제를 들 수 있다. 반물질과 물질이 만나면 서로 소멸하므로, 이것은 '부자'라는 개념으로 연결될 수 있다. 즉, 어떤 것이 존재하더라도 그 반대편에서 그것이 없어지게 하는 힘이 작용한다고 볼 수 있다.

한편, 순수한 한국 철학은 대부분 동학의 우산 아래에 있기는 하나 천도교, 대종교, 증산교는 그 연관성을 튼튼하게 했지만, 아직 무교(巫敎), 원불교, 선교와의 철학적 연결은 부족하므로 이 부분에서 보완이 필요하다고 할 수 있다. 또한 아시아지역학이 경영학을 학문적 기반으로 삼는 사례처럼 경영학을 깊이 있게 연구하고 회계나 인적자원관리 같은 경영학적 기술을 응용하여 동학 철학의 기능으로 접목한다면 창조적 활용과 현시대에 맞는 실용적 면도 발굴할 수 있을 것이다. 아울러 동학에서 동은 단순한 동쪽이 아니라 동국이자 한민족을 가르치는 것이다. 이는 우리 역사에서 감과 같이 한민족을 상징하는 과일은 동쪽 나뭇가지에서 난 것만 신성하므로 그것을 따서 먹어야 한다는 점에서 동이라는 글자는 동쪽 이상의 의미가 있다고 할 수 있으므로 해석의 유의 사항도 보아야 한다.

이외에도 당시 시대적 한계상 유교와 불교 이외의 민족 철학이나 종교는 탄압을 많이 받았으므로 일본의 카쿠레키리시탄이 기독교 신앙을 불교에 숨긴 것처럼 불교가 아닌 민족 종교에서 부처나 불교와 비슷한 용어를 사용한다고 해서 불교의 한 분파나 영향을 받은 종교로 보는 것이 아니라 동학적 용어로 해석해서 살펴보아야 한다.

이렇게 동학을 21세기에 맞게 재편한다면 우리 철학의 기반을 강화하고 앞으로 여러 이론적 배경이 탄생하여 정신적 독립성을 강하게 지킬 수 있을 것으로 기대된다.

한민족 최초의 국가 고조선과 열국시대

동아시아에서 중국과 한국은 상호 교류하지만, 별도의 문화권을 가지고 있다는 증거 중 하나로 오랜 기간 독립된 국가로 있었다는 것을 들 수 있다. 이러한 점에서 한민족 최초의 국가인 고조선은 그 의미가 상당하며 태초부터 자주적인 독립 국가로 구성되었다. 그러나 중국 왕조 중 일부가 고조선에 대해서 왜곡하여 우리가 중국에 종속된 국가인 것처럼 보이도록 여러 왜곡을 하였다는 주장이 있다. 일례로 기자조선이 거짓인 것은 이미 대중도 알 만큼 유명하다. 이는 위만조선을 변형하여 기자조선이라는 이야기를 창작한 것으로 중국 사서에서 말하는 기자는 모두 위만으로 보고 해석하면 된다. 따라서 위만이 중국 사람이라는 것은 중국의 주장에 불과하다. 실제로 위만은 귀화한 중국 사람이 아니라 준왕의 동생이다. 즉 준왕과 위만이 왕권을 두고 형제간의 군사적 충돌과 위만의 군사 쿠데타가 이어진 것이다. 상식적으로 귀화한 사람이 갑자기 세력을 모아서 왕위를 찬탈하는데 백성들이 동조하는 것도 역사상 유례를 찾기 어려운 일이다.

무력으로 국가를 정복하고 지배 세력이 되었음에도 기존의 지배 세력의 모든 요소를 그대로 유지한다면 어떤 형태로든 금방 왕권이 뒤집힐 가능성이 높음에도 그리한다는 것은 비정상적이다. 고로 준왕과 위만은 형제 관계이고 상대적으로 중국과의 교역을 강조한 위만이 왕위를 물려받은 준왕의 왕권을 탈취하기 위해 상대적으로 감시의 눈초리가 약한 국경 인근에서 세력을 키우고 중국과 교류하면서 쿠데타를 벌이고 왕권을 찬탈한 것으로 보는 것이 상식적이다. 또한 위의 가설을 토대로 보면 위만에게 왕권을 찬탈당한 준왕이 한반도 남부로 하방하여 설립했다는 진국(辰國)은 거짓에 가깝다. 실제로 한반도 전역과 만주 일대는 고조선에 의해 단일적으로 통치되었으며 진(辰)의 경우 한반도 남부 일대를 부르는 지명에 불과하다. 고로 진국은 준왕이 쿠데타 이후 남부로 귀양 간 것을 중국에 의해 일부 유리하게 변조되어 그 역사가 왜곡되고 창작된 것이다. 한편 현재 대한민국의 국호에도 사용되는 한(韓)의 경우 몽골의 칸처럼 고조선의 왕을 부르는 하나의 명칭이자 국호의 별칭으로 보아야 한다. 당시에는 왕이 제사장 역할을 겸했고 신라의 이사금처럼 최고 직함이 유일하게 왕만 사용하였으므로 그 명칭을 국호처럼 부르기도 한다. 고로 조선과 한은 동일한 의미로 봐야 하는 것이다.

한편 위에서 언급한 진은 준왕이 남부로 내려가면서 한이 왔다고 백성들이 부르던 것이 변형되어 진으로 불리게 되었고 그것이 일종의 지명으로 굳어진 것으로 볼 수 있다. 나중에 등장하는 삼한도 이러한 영향을 받았다. 다만 진한 이외에 변한과 마한의 경우 '진'이라는 단어를 '진한'이 독점하자 독자성을 보이기 위해 '변'과 '마'라는 글자를 '한'에다 붙인 것으로 보아야 한다. 이후 고조선이 왕검성 전투를 통해 전한에 멸망당하고 한사군이 세워져서 식민 지배를 받았다는 서술을 일부 저서에서 볼 수 있다. 그러나 이것은 사실과 다르다. 진한에 의해 고조선이 멸망한 것은 사실이지만 고조선 전역을 완전히 통치하지 못하고 한사군을 설치한 일부

영토만 얻고 나머지 영역의 경우 지방 호족들이 군소 군가를 형성하게 된다. 즉 중앙정부가 일순간에 사라져서 지방정부가 별도의 국가를 이룬 것과 같다. 이 과정에서 부여, 동예, 옥저, 마한, 진한, 변한 등 여러 국가가 등장하고 이것이 다시 고구려, 백제, 신라의 3개 세력으로 정리되는 기간을 열국시대라고 일반적으로 칭한다.

또한 고구려와 백제의 경우 고조선을 가장 강하게 계승했다고 주장하는 부여의 직접적인 후신이지만 신라 역시 고조선의 권위를 입히고 준왕의 권위도 얻기 위해 서부여라고 부르기도 하였으므로 신라, 백제, 고구려 모두 고조선의 계승국으로 볼 수 있다. 한편 가야의 경우 통일된 집단을 이루지 못하였고 백제의 전성기에는 백제의 종속국이 되었고 신라의 전성기에는 신라의 종속국이 되었으므로 그 국가의 연장선으로 봐야 한다.

우휴모탁국과 고조선의 한반도 남부 통치

한국사에서 고조선의 통치 영역에 대한 것은 오래된 논쟁거리이다. 이는 진(辰)에 대해서 실제 국가인지 아니면 남부 지역을 통칭하는 명칭인지에 대한 것이 그중에서도 주요한 쟁점이다. 그러나 일반적으로 진은 한반도 남부 지역을 통칭하는 보편 명칭이고 고조선은 한반도 전체를 통치 영역으로 삼았다는 것이 합리적이다. 진이 독자적인 국가였다는 가설은 일본이 임나일본부설을 만들기 위한 논리이므로 이 주장은 폐기해야 한다.

한반도 남부 지방을 진이라는 명칭을 사용하여 부르고 이것이 삼한의 명칭에서 한(韓)으로 변형되어 사용되었고 이후 대한민국이라는 국호에도 들어간 역사를 다시 살펴보면 진이라는 명칭은 고조선의 임금을 부르는 하나의 명칭이라고 보아야 한다. 이는 몽골의 칸과 같은 것으로 고대 시대에는 일종의 국호로 독자적인 왕을 가리키는 명칭을 부가적으로 사용하였다. 그러므로 진과 한은 단군과 같은 것이며 국호 조선과도 동급이다.

그렇다면 이러한 고조선의 남부 지방을 통치하기 위해서는 행정적 거점이 필요한 것을 알 수 있다. 당시는 교통과 통신이 발달하기 이전이므로 효율적 통치를 위해서는 행정적 거점의 필요성이 현대 사회보다 훨씬 중요하다.

한반도 남부 지방의 행정적 거점 역할은 현재의 부천시 지역이 하였다. 당시 명칭은 '우휴모탁국(우체모탁국)'으로 불렸으며 제국의 위상을 가진 고조선답게 하나의 소국 형태로 통치를 위한 행정적 거점을 설치했다.

당시 부천 지역은 바닷물이 현재의 중동 신도시 일대까지 들어오며 큰 포구 형태의 지역이었다. 이는 고대의 해운 운송 비율이 높은 점은 고려할 때 수도와 효율적인 교통망 연계가 되며 한반도 남부 지방과 빠른 교역 및 통치의 편의 확보가 상당 부분 가능하다.

또한 우휴모탁국은 몹시 국제적인 면모도 보였다. 외국과의 무역 거점 역할을 하면서 상당히 부유한 모습을 보였다. 이는 지금의 도시 명칭인 부천이 부유한 강이라는 뜻에서도 알 수 있다.

특히 지금의 부천시 원미구 약대동의 명칭은 미얀마의 옛 수도인 양곤에 영향을 주었다. 고조선의 멸망 이후 해상 무역망이 끊어지고 현재의 약대동 인근에 살던 동남아 상인이 육로를 통해 미얀마로 귀환하면서 그 거주지인 명칭이 변형되어 양곤이 되고, 이는 영국의 식민 시기에 대규모 도시로 개발되면서 그렇게 된 것이다.

또한 영국의 윈저성에도 우휴모탁국의 흔적이 남아있다. 우휴모탁국은 로마 및 영국과 교역을 한 무역 거점으로 당시 영국까지 교역망이 발달했다. 그래서 현재 부천시 원종동이 변형되어 윈저성에 붙였다는 가설이 있으며 우휴모탁국 사람이 영국에 사신으로 방문하기도 했다.

우휴모탁국은 현재의 몽골이 되는 북방 유목민족과도 무역을 활발히 했으며 그 수장이 직접 영향력을 미치는 영역은 현재의 용인시, 천안시, 평택시, 안성시, 과천시, 의왕시, 군포시, 오산시, 화성시, 광명시, 시흥시, 안산시, 안양시, 수원시, 김포시, 인천광역시 일대이며 현재도 이 지역은 부천시의 영향을 받고 있다.

또한 우휴모탁국은 현재의 광명시 가학산을 상당한 성지로 여겼으며 황금이 흐르는 동굴이 존재할 것이며 그 동굴이 발견되면 한민족이 세계 평화의 중심이 될 것이라는 예언을 했다. 이는 실제로 가학광산이 개발되고 이를 폐광하고 나서 다시 동굴로 재정비하여 활용되면서 예언이 성취되었다는 평가가 있을 정도였다. 그렇기에 광명동굴은 역사적으로 숨겨진 동굴이며 우휴모탁국 사람들이 찾기 위해서 노력했던 성스러운 동굴이자 하나의 성지 개념이었고 그것이 실제 광산 개발을 통해 동굴이 되면서 이루어진 역사성이 있는 셈이다.

그리고 고조선 멸망 이후에도 우휴모탁국은 상당한 요지로서 실제 비류가 점령하고 국가를 세우려고 했지만, 당시에는 이미 기후의 변화로 상당히 황폐해진 상황이라 실패하고 백제에 흡수되었다.

이렇게 오랫동안 버려진 우휴모탁국의 영토는 부천 지역이 개발되고 치수 사업을 하면서 부천시가 되어 현대에 부활하여 경인 지역의 요충지로 다시 자리매김하게 되었다.

따라서 우휴모탁국의 역사는 단순히 마한 54개국 중 하나의 역사가 아니라 지금의 세종시처럼 고조선의 제2수도 역할을 한 것과 같으며 몽골이나 영국 그리고 중국의 역사에서 보듯 계절에 따라 별궁을 옮겨가는 것처럼 단군이 정기적으로 머물기도 한 것과 현재의 부천이 몽골과 관계가 깊은 것도 우휴모탁국 시절부터 몽골과 깊은 교역이 있었다는 점을 들 수 있으므로 이러한 점을 종합할 때 상당히 숨겨진 역사이자 한국사의 보배 같은 지역이라고 할 수 있으며 집중적인 재조명이 절실히 필요한 것이다.

부천과 우휴모탁국

'우휴모탁국(우체모탁국)'은 고조선의 한반도 남부 통치를 위한 거점이자 제2수도 역할을 한 곳이다. 이러한 역사를 담은 부천은 과거에는 상당히 넓은 통치 권역을 가졌고 실제로 부천군 시절에도 상당한 면적을 자랑했지만, 현재는 상당히 그 크기가 축소되었다.

이는 마치 오스트리아가 축소된 것과 같다. 하지만 오스트리아가 축소되었다고 해서 가졌던 역사적, 문화적 영향력과 내재한 가치가 사라지는 것이 아닌 것처럼 현재 부천시는 과거의 엑기스만 농축되어 있으므로 우리 역사와 정신문화에서 상당한 가치를 가진 도시라고 할 수 있다.

이러한 점에서 우휴모탁국과 부천은 고대사의 중요한 거점이며 그 거점이 황폐해지면서 뇌리에서 잊히고 나서도 다시 부천시로 부활하여 현재는 중요한 영향력을 회복했다는 점에서 다시 일어서는 불굴의 한민족 의지가 담긴 것과 같으며 한국인의 정신에도 상당한 좋은 사례가 되이다.

이러한 부분들을 보면서 부천과 우휴모탁국을 다시 살펴보고 그 역사와 고조선의 관계 그리고 일본이 훼손한 역사의 복원을 통해서 한국인의 얼을 다시 찾고 내일로 나아가는 하나의 대상으로 귀중히 여겨야 한다.

대한제국의 멸망은 언제로 보아야 하는가?

대한제국의 멸망일에 대해서 일반적으로는 1910년 8월 29일로 여겨지고 있다. 이는 한일병합조약에 따라 대한제국이 일본제국에 흡수되었던 날이다. 그러나 이러한 견해는 몇 가지 문제점이 있다.

먼저, 한일병합조약은 대한제국 국새가 날인되지 않았으며 황제의 서명도 없는 조약이다. 이는 국제법적으로도 무효이다. 따라서 이 조약이 무효라면 대한제국의 멸망일은 대한민국 임시정부 수립일인 1919년 4월 11일이다. 비록 일제의 강제력으로 인해 행정권을 잃게 되었지만, 앞서 언급한 조약의 무효성을 고려하면 1910년 8월 29일 이후에도 대한제국과 황실은 여전히 존재한 셈이다.

한편 대한제국에서 대한민국으로 변화하는 과정은 1917년 대동단결선언에 따라 공화국 건설 제안이 공식적으로 제기되었다. 이러한 제안이 3.1 운동을 통해 전국적으로 모든 백성이 암묵적으로 수용하며 주권이 황제에서 백성으로 이양되고 대한민국 건국으로 나아간 것이다.

대한민국 임시정부가 수립되면서 대한민국이 건국되어 대한제국의 주권이 이양되었고 1948년 8월 15일에는 완전한 자주독립국으로서의 정식 정부가 수립된 것이다. 따라서 대한제국은 1919년 4월 11일까지 존속하였으며, 그 당시까지 순종 황제가 재위하고 있다고 보아야 하며 대한민국 임시정부의 수립과 함께 대한제국은 해산되고 주권을 이양한 것으로 여겨져야 한다. 또한 이 당시 정치 체제를 보면 1910년 8월 29일부터 1919년 4월 11일까지는 형식적으로는 순종 황제가 주권을 지니지만 그 내부에 실질적인 행정은 각 지역의 유지들에 의해서 독립적으로 행했으므로 유사 임시정부 형태를 띠었다고 보아야 하며 이러한 점에서 독립 세력이 제1차 세계대전에서 동맹국을 상대로 선전포고를 한 것은 결론적으로 대한제국이 선전포고한 것과 같은 행위로 보아야 하며 대한제국도 제1차 세계대전 참전국으로 보는 것이 역사적 관점에서 몹시 합당하다.

현대 유학 교육과 과목 운영에 대한 고찰

개항 이후 서양 학문의 유입으로 유교는 학문적 절대 권위를 상실하고 하나의 철학 중 일부나 종교 중 일부로 재정의되었다. 이러한 현실 속에서 비종교, 비철학 부문의 유학은 아시아적 학문으로 약간의 독자성을 가지기 위해 노력했고 아시아지역학에 많이 흡수되었다.

유학동양학과 같은 명칭을 통해서 객관적으로 유교를 살펴보면서도 다양한 학문의 요람 역할을 하는 모습을 보이면서 유학동양학은 유교라고 해석하는 것은 상당히 편협한 접근이라고 볼 수 있다.

현대의 유학동양학과는 사실상 음악대학이라고 불릴 정도로 음악을 많이 가르치며 미학, 아시아지역학, 언어학, 지리학, 서어서문학, 일어일문학, 동남아시아학, 인도학, 몽골학, 중동학, 종교학, 인류학, 공예학, 조소학, 음악사학, 고고학, 미술사학, 한의학, 민속학, 문화유산학, 선학도 가르쳐서 해당 학문 학과의 역할도 대학 내에서 하고 있다.

이 외에도 몽골학과 심리학이 상당한 관련이 있는 점을 발견한 것과 무역학, 국제학, 창업학과 아시아지역학이 일맥상통한 것이며 사실상 아시아에서는 하나로 봐야 하는 것을 정립한 것도 학문적으로 큰 성과이다.

이외에도 '중국문명사와전통문화', '삶의철학중국어강독', '중국통상및시사', '중국어권문화'가 창업적 경영학이나 무역적(국제적) 경영학에서 전공선택 과목으로 가르치고 특히 용인 죽전 지역과 상당한 연관성을 가진 것을 주도한 것도 이러한 학술적 모습의 일환이다.

그러므로 유학동양학을 바라볼 때는 세속적이면서도 탈유교적 관점에서 바라보면서 중립적인 입장과 비판적 입장을 견지하면서도 다양한 학문적 융합을 이룰 수 있도록 여러 형태의 이바지도 필요함을 알 수 있다.

호서 지방과 몽골

한국 역사에서 깊은 교류를 한 국가 중에서 주요한 국가를 하나 꼽으라면 몽골을 고를 수 있다. 이는 유목민족 국가 중에서 유일하게 한국과 깊은 역사적 교류를 한 사례이고 현재도 상호 간의 교류가 상당하므로 이에 대해서 깊게 고찰할 필요가 있다.

특히 한국에서도 호서 지방(충청도)이 몽골과 가장 깊은 교류를 했으며 이는 충청도가 경기도와 전라도, 경상도를 연결하는 길목에 위치하기 때문이다. 그중에서도 천안의 경우 충청도와 경기도를 이어주는 징검다리 역할을 하는 도시이므로 몽골과의 상호 역사성은 상당하다.

또한 이는 현재에도 국내 몽골인이 가장 많이 거주하는 지역이 충청도이며 몽골의 제2도시인 에르데네트에 충청도 사람 비율이 상당히 높은 것을 알 수 있다. 이외에 충청도 사람 비율이 상당히 높은 용인도 몽골과의 관계가 간접적으로 많은 것도 그러하다.

또한 몽골은 과거 인도와의 관계와 상호 교류가 상당했고 힌두교 형상 과정에서 몽골 유목민의 종교관이 상당한 영향을 미쳤는데 이러한 점에서 힌두교가 국내에서 충청도에 많은 것도 몽골과 충청도의 관계가 깊은 면과 상당히 연결된다는 주장이 있다.

아울러 천안의 경우 몽골과 과거로부터 교류하고 있으며 몽골의 한 공주가 천안에 와서 정착하였다는 설화가 있을 정도로 천안을 중심으로 충청도 전역의 민간 설화에서 몽골의 영향을 살펴볼 수 있는 셈이다. 또한 두정동 유적이나 불교 관련 유적에서도 몽골의 흔적을 살펴볼 수 있고 인근 청주, 대전, 세종, 공주에서도 관련 흔적이 있는 것을 보면 국내에서 충청도가 몽골과 관계가 깊으며 앞으로 몽골과의 외교에서 충청도와 함께할 필요성이 제시된다.

시흥군의 역사 계승 문제

현재의 시흥시와 과거 시흥군의 역사적 문제에 대해서 상당한 논쟁이 벌어지고 있다. 현 시흥시는 인천도호부 일부와 안산군 일부가 시흥군에 병합된 뒤 원래 시흥군 지역이 서울에 편입되거나 개별 도시로 독립되면서 본래의 시흥군 지역이 남지 않아 발생하는 문제이다.

그러나 이러한 문제에 대해서 올바른 답을 제시하자면 현재의 시흥시는 시흥군을 계승한 것이 맞다고 할 수 있다. 우리 역사에서 지역의 영역이 변경되는 것은 매우 자연스러운 일이다. 현재의 시흥시 지역인 인천도호부 일부와 안산군 일부가 시흥군에 병합된 것에서 다시 살펴보면 해당 지역이 행정구역상으로는 시흥군이 아니지만 역사적으로 매우 강한 시흥군 영향권이 있었기에 행정구역을 바로잡은 것이다.

즉 해당 지역 사람들은 역사적으로 시흥 사람이라고 스스로 생각한 것이며 시흥군과 행정적으로 연계가 깊었다. 이는 상업적인 측면에서도 동일하다. 그러므로 역사적으로 시흥군의 정체성이 강했다고 하여도 결코 과언이 아니며 시흥과 하나였다고 할 수 있다.

또한 본 시흥군 지역이 독립하면서 시흥이라는 명칭을 가지지 않은 것은 그 개별 지역은 소지역적 정체성이 강했기 때문에 그러하다. 이는 역설이지만 오히려 현재의 시흥시 지역이 시흥 정체성이 더 강했기에 스스로 변경하지 않고 시흥의 가치를 가지고 간 것이다.

그러므로 영역적으로 시흥권이었고 시흥의 가치나 정체성을 가장 강하게 역사적으로 가지고 있었으며 원래 시흥군의 유산을 적극 계승하고 그 상징이나 기록을 인수한 점에서 시흥시는 시흥군을 계승했으며 시흥군의 역사는 시흥시가 가지고 나머지 지역의 역사는 독립된 개별 시가 가지는 것으로 정리하는 것이 옳다.

지구촌 사회의 문제에 관한 연구

우리는 본 저서를 통해 지구촌 사회에서 여러 문제를 바라보고 이에 대해서 살펴보고자 한다. 먼저 선거와 유사한 효력을 가지는 대상에 대해서 살펴보고자 한다. 대개 미국 대통령이 유고 되면 부통령이 이를 승계한다. 부통령은 보통 대통령과 러닝메이트를 이뤄서 선거에서 당선되므로 동일한 민주적 정당성을 가진다. 그러나 미국의 제럴드 포드 대통령의 경우 부통령을 러닝메이트로 선출된 것이 아니라 스피로 애그뉴의 사임으로 인해 부통령으로 지명되었고 이후 리처드 닉슨의 사임으로 인해 대통령을 승계한 것이다. 이 경우 제럴드 포드 대통령을 비록 선거로 부통령과 대통령으로 선출된 적은 없지만 미국 헌법과 선거에 대해서 추론해 보면 자연인으로서의 리처드 닉슨은 사임했지만, 당시 선거의 정당성을 이어받아서 대통령이 된 것이므로 비록 선거로 선출되지는 않았지만, 부통령과 대통령 그 직위는 선거로 선출된 것과 동등한 민주적 정당성을 가진다고 할 수 있다. 이는 제럴드 포드의 대통령 승계로 인해 공석이 된 부통령 자리에 지명된 넬슨 록펠러도 동일한 것으로 정권을 완전히 탄핵하여 민주적 정당성이 훼손되고 야당에 그 권한을 넘겨주지 않고 특정 개인만 교체하는 것은 그 개인은 정당성이 상실하지만, 그 정권의 정당성은 존재하므로 타인이 물려받거나 혹은 지명받는다고 해서 선거로 선출된 것과 그 정통성의 정도가 다르다고 할 수 없는 것이다.

아울러 국내의 사례를 보면 최규하 대통령의 경우 당시 통일주체국민회의 선거 인단에 의해 대통령으로 선출되었지만, 관료 출신이며 관리형에 가까운 인사이고 직전 국무총리를 역임한 대통령 권한대행이라는 점에서 대통령 후보의 자격은 갖추고 있고 당시 헌법상 대통령 선거를 즉시 치러야 하는 상황이므로 일단 대통령으로 취임하고 개헌을 통해 민주적 헌법으로 교체하는 것을 천명했고 당시 여론도 현실적으로 즉시 개헌은 불가능하므로 일단 취임 이후 1년 이내 개헌 형태에 동의했으므로 직선제 대선은 아니지만 거기에 준하는 민주적 정통성을 가진다고 할 수 있다.

반면 형식적인 법률적 이관을 가지는 것을 살펴보면 박정희 장군에 의한 군사 정변으로 제2공화국 헌법에 따른 내각과 의회가 해산되고 국가재건최고회의가 헌법에 준하는 권한을 행사한 것에 대해서 헌법 일부 조항을 정지한 것은 사실이지만 헌법을 완전히 파괴한 것은 아니다. 그 당시 군정 내각을 표방하고 국가재건최고회의의 성격은 내각과 국회가 결합한 형태로 했으므로 형식적인 법치에서는 그것을 인정할 수밖에 없다. 또한 당시 제2공화국 헌법은 양원의 표결로 개헌을 하지만 국가재건최고회의는 최고회의 의결에 더불어서 국민투표를 하였으므로 형식적 민주성을 내포하고 있으므로 제3공화국 헌법은 제헌이 아닌 개헌을 보아야 하며 제3공화국 헌법 시행 직전까지 제2공화국 헌법은 형식적으로는 살아있는 것으로 보아야 한다. 이는 유신 선포 당시 국회를 해산하고 비상국무회의가 그 권한을 대행한 것도 제3공화국 헌법이 형식적으로는 살아있는 것으로 보아야 하는 것도 그러하다. 다만 실질적 민주성에 대해서는 별도로 논의해야 하는 것이 상당 부문 바람직하다고 할 수 있다.

또한 이러한 논의의 연장선에서 집권 여당이 단일한 정당이지만 실질적으로 이전에 여러 정당을 합당하여 계파가 연립한 경우 그 정당의 총재가 대통령이면 아래의 대표최고위원 혹은 대표위원의 경우 총재급 위상을 가지며 행정부에서도 2인자이고 실질적으로 행정부에 영향력을 행사하는 것은 물론이며 사실상의 국무총리 역할을 해서 그 당사자의 승낙을 통해 행정부가 작동한다고 보는 것이 정치적으로 옳은 것이다. 그리고 한국사에서 그 역할을 한 김종필 전 자유민주연합 총재는 단순한 보수주의자가 아니며 진보적 면모도 상당히 보였고 민주적이었다는 점과 청구동계 및 자유민주연합도 그리했다는 것도 다시 살펴볼 필요가 있다.

일반적인 지명에 대해서 세종특별자치시에서 세종이 세종대왕을 의미하기도 하지만 독자적인 의미를 담고 있기도 하다. 이는 세상의 중심이라는 의미도 지리적으로는 담고 있다고 보아야 한다. 이러한 문화적 관점과 비슷한 것은 현재 대만이 남베트남 멸망 이후 그 문화적 유산을 계승하여 남베트남의 문화를 갖고 있는 것도 알 수 있으며 한국에서는 기독교 문화유산도 재정립하고 발굴해서 후손에게 물려줘야 하는 점도 새롭게 알 수 있다. 지리적인 부분을 좀 더 살펴보면 경주시와 포항시는 울산 문화권에 포함되는 것을 알 수 있으며 고령군, 성주군, 청도군은 경상남도 문화권에 포함되는 것을 알 수 있다. 아울러 작은 지역 단위로 살펴보면 포항시 동해면은 경주시 문화권에 상당히 깊게 포함되는 것도 충분히 알 수 있다고 할 수 있다.

이외에도 철도에서는 수도권 내륙선 건설과 고속철도 천안아산역 분기를 추진해야 하는 시급성이 있으며 교육에서는 교육대학을 지방거점국립대와 통합해서 일원화할 필요성이 있다. 문화적 측면에서는 성대신문이 조보를 일정 부문 계승한 것을 알아야 하며 의학 측면에서는 한의사의 지위를 의사에 준하도록 상승시키는 것이 시급하게 필요하다. 추가적으로 의학 교육 측면에서 깊게 살펴보면 프리메드 교육을 하는 대학의 생명시스템학부는 사실상 준의과대학으로 봐야 하며 이 학부 출신은 의전원 등으로 진학하여 간접적으로 의사를 양성하고 있기에 더욱 그러하다.

이어 산하 세계 고등교육 현황에 대해 고찰하면 펜실베이니아대학교 산하 단과대학인 College of Liberal and Professional Studies(LPS)의 경우 다른 단과대학과 동등하게 취급하며 해당 단과대 소속 온라인 과정과 오프라인 과정도 동등하게 취급한다. 또한 동문으로 판별할 때도 펜실베이니아대학교 출신으로 보며 학사 학위의 무게도 다른 단과대학의 학사 학위와 같다. 이는 국내에서 분교 혹은 평생교육원(전산원) 졸업자는 해당 사실을 모두 명기해서 학위를 표기하는 것이 합법이지만 펜실베이니아 LPS의 경우 동등한 단과대학이므로 이를 생략하고 펜실베이니아대학교 철학 학사로 표기해도 되며 대개 이렇게 표기하는 것이 상식적이다. 그리고 이에 대해서 분교나 평생교육원으로 호도하는 경우 법적 조치가 가능하다는 선례도 있다. 이는 다른 아이비리그에서 제공하는 익스텐션 스쿨(Extension School)과 달리 정식 단과대학이며 정부에서도 동등하게 인정하고 공인하기 때문이다. 또한 국내에서 대학원 동문 인정 현황을 살펴보면 미술교육학처럼 교사 자격이 나오는 대학원의 경우 사실상 사범대와 동일하므로 학부 동문과 같은 수준의 동문 인정을 한다.

이러한 논의에 대해서 하나의 사례로 국내에서 관련 현황을 살펴보면 용인 죽전에서 글로벌한류트렌드, 문화예술과감각활용, 몽골학입문, 몽골사, 몽골정치 · 외교, 유목민족사, 몽골경제 · 사회, 위대한지도자와그들의선택, 중국문명사와전통문화, 4차산업과서비스경영2, 미디어문학의이해, 바이오헬스인문학, 국제지역학 등의 과목에 깊은 관심을 가지고 있으며 이러한 과목들이 관내에서 고등교육으로 학생들에게 교육되고 있는 편이다.

또한 세계 지리적으로는 미국 캘리포니아주 버뱅크와 버지니아주 알링턴은 뉴욕의 영향권 안에 있으며 사실상 뉴욕 출장소라는 평을 듣는다. 국내로 와서 지명에 대해 고찰해 보면 동작구 상도동의 경우 한자로는 '上道洞'이다. 여기서 위 상의 경우 위쪽이라는 뜻이 아니라 '옳다'라는 뜻으로 옳은 길로 가는 사람들이 모인 마을로 해석해야 한다. 아울러 마포구 서교동의 경우 한자로는 '西橋洞'이다. 이는 높은 나무처럼 사는 사람들이 모인 마을로 해석해야 하며 동교동은 한자로 '東橋洞'라고 한다. 이는 태양이 떠오르는 곳으로 건너가듯 밝은 내일로 가는 사람들이 모인 마을로 해석해야 한다. 그리고 미얀마와 멕시코는 영국의 영향력이 아주 강하다는 점도 부수적으로 볼 수 있다.

특히 국내 지명을 메가 서울의 관점에서 살펴보면 영국 런던의 경우 행정구역은 전혀 상관하지 않고 런던 문화권은 모두 런던으로 여기며 그 내부에서 행정구역에 대한 차별이 전혀 없다. 우리도 이러한 선진국의 사례를 보면 서울 문화권이면서 생활권이면 그것도 일반적인 서울특별시와 똑같은 서울로 여기는 것이 상식적인 측면에서 옳다. 그러므로 이러한 확장 서울은 메가 서울이 주목되면서 다시 인식되는 사례를 살펴보면 예를 들어 용인은 확장 서울로 서울 그 자체와 동일하다. 용인 버스 중 서울특별시로 향하는 모든 버스는 사실상 서울 버스 시스템 속에서 서울 버스와 같게 취급된다. 그리고 그 내부에서 수지구와 성남 분당구는 확장 강남권으로 인식되며 죽전동은 분당에 직접 포함되어 있다. 또한 분당구와 수지구는 재벌도 많이 거주하고 부촌이 많아 경제적 측면에서도 확장 강남권이라는 인식이 상당한 부문에서 널리 강화되고 있다. 또한 분당신도시에 수지구 죽전동이 포함되는 것은 사실이다. 예를 들어 위례신도시는 성남시, 하남시, 송파구에 인접해서 개발되었지만 송파구만 위례신도시라고 아무도 주장하지 않는다. 이처럼 분당구만 분당신도시가 아니라 수지구 죽전동도 분당신도시로 보는 것이 정상적이다. 아울러 이러한 확장 서울의 인식 확대에서 최소한의 소범위인 확장 강남권의 경우 확장 강남권 산하 대학은 인서울 대학으로 보는 것이 상식적 사고를 하는 사람의 판단이다.

미국의 법률 시스템을 살펴보면 영미법 중심의 체계가 많다. 하지만 그 사법 운용에 있어 대륙법의 요소를 상당히 많이 차용하는 편이며 근래에는 독일을 제치고 대륙법 연구의 수준이 가장 높은 나라로 평가받는다. 그러므로 미국에 대륙법 유학을 가는 경우도 늘어나고 있으므로 미국에서 법학 공부한 사람이 영미법만 공부했다고 생각하면 오산이다. 이외에 샤리아법도 미국이 연구에서 1위이다.

이러한 것과 유사한 사례로 영국은 미국과 달리 극단적 자본주의 국가가 아니다. 오히려 좌파적 사상에 큰 영향을 미친 국가로 중국, 소련, 인도의 사상적 은사로 평가받을 정도이며 서사하라, 팔레스타인 문제에 대해서도 많은 연구가 되어 있고 미국의 재야 세력보다 영국의 재야 세력이 이들에게 우호적인 편이다. 또한 영국 대학은 미국 대학과 달리 상당히 좌파적 경향을 보인다.

한편, 멕시코는 영국 속국으로 불릴 정도로 영국의 영향력이 강하며 파운드

화에 종속되어 있고 영국 문화를 따라하려는 모습을 보인다. 그리고 영국식 영어의 교육과 선호도는 매년 증가하는 추세이다.

국내 프로야구에서 키움 히어로즈는 삼미 슈퍼스타즈, 청보 핀토스, 태평양 돌핀스, 현대 유니콘스, 우리 히어로즈, 서울 히어로즈, 넥센 히어로즈를 온전히 계승했으며 SSG 랜더스는 상방울 레이더스와 SK 와이번스를 온전히 계승했다고 보는 것이 정당하다.

몽골과 인도는 역사적 관계가 상호 긴밀하며 두 국가가 상호 연합하는 것이 양자에 좋은 것임을 알 수 있고 힌디어와 몽골어는 상호 유사한 부분이 많은 것도 알 수 있다.

국제문화연구학을 가르치는 일반대학원 학과는 사실상 법학전문대학원 수준의 독립성을 가지며 그 형태는 전문대학원과 유사하게 여기고 학과장은 전문대학원장 수준의 의전을 받고 내부 자율성을 가진다.

향후 부산 발전의 축으로 강서구와 기장군의 확장을 추진하지만 하나의 축을 더해야 한다. 북항 재개발을 비롯하여 원도심 재개발을 대폭 추진하고 산복도로 개선을 하여 사실상 신도시 수준으로 끌어올리고 영도 르네상스 사업을 통해 사실상 해상 신도시를 부활하여 영도를 중심으로 하는 사실상의 신도시인 제3의 축을 만들어야 부산의 균형 잡힌 성장이 가능하다.

지리적으로 온수동과 항동을 비롯한 구로구에서 부천시와 접경한 지역은 인천권으로 불리며 그 지역의 대학은 준 인천 지역 대학으로 간주하고 내부 운영은 인천의 방식과 상당히 비슷한 부분이 많다.

과학의 해석에 있어 과학과 철학 그리고 학문은 동일한 용어이며 인문학도 인문과학으로 부르는 것이 합리적이다. 그리고 과학을 자연과학으로 협소하게 해석하는 것은 배격해야 하며 인문학과 과학이 대립되는 것이 아니라 인문학은 과학의 일부분으로 보는 것이 옳다.

정보기술자격은 한국사 교육에 큰 도움이 되는 경우가 많으며 그 시험 과정을 보면 한국사 지도 관련 자격증의 일부로 볼 수도 있다.

아울러 사회 문화적으로 다양하게 살펴보면서 사람에게 미치는 면을 살펴보자면 국내 철도에서 경부선 전 구간은 복복선화를 해서 그 혼잡을 완화해야 하며 학문 부문에서는 평화학이 인문학임을 인지하고 국제문화연구학과 관계가 깊다고 근래에 학술적으로 보고 있다. 그리고 외교적으로는 인도의 상임이사국 진출 지지와 단기적으로는 상임이사국에 준하는 외교적 영향력을 가질 수 있도록 한국이 지원해야 중국 굴기 시대에 외교적 안녕을 얻을 수 있다는 점도 고찰해야 한다.

한편 세계적으로 북유럽 국가에서 유일하게 왕실이 없는 핀란드는 그 북유럽 문화상 대통령이 다른 북유럽 국가의 왕실에 준하는 위상과 영향력을 가지며 사실상 선출된 왕이라는 별명이 있고 그 의전도 왕실과 접견할 때는 국왕에 준해서 해야 한다. 또한 핀란드도 스칸디나비아에 속하며 그 언어나 문화 그리고 신화의 유사성이 높으므로 다른 북유럽 국가와 핀란드를 분리하는 시도는 유해하다. 특히 핀란드 신화가 북유럽 신화에 포함되는 것은 반드시 인지해야 하며 북유럽에서 핀란드는 다른 국가와 같으며 세계관적으로도 완벽하게 동일하다.

문명과역사

발행 2024년 1월 2일

지은이 대한아시아지역학연구회
발행처 주식회사 부크크
출판등록 2014.07.15. (제2014-16호)
발행인 한건희
주소 서울특별시 금천구 가산디지털1로 119 SK트윈타워 A동 305호
이메일 info@bookk.co.kr
전화번호 1670-8316
ISBN 979-11-410-6325-2

값 20,000원